D0513900

1781

F. Wilhelm Christians

Wege nach Rußland

Bankier im Spannungsfeld zwischen Ost und West

F. Wilh. Christians

Hoffmann und Campe

CIP-Titelaufnahme der Deutschen Bibliothek

Christians, Friedrich Wilhelm:
Wege nach Rußland: Bankier im Spannungsfeld
zwischen Ost und West / F. Wilhelm Christians. –
1. Aufl. – Hamburg: Hoffmann u. Campe, 1989
ISBN 3-455-08337-4

Schutzumschlag und Einband gestaltet von Werner Rebhuhn
unter Verwendung eines Fotos von Ingrid von Kruse
Abbildungen: Kristina Eriksson 6, 10–13, 19–21, 27, 28;
Wolfgang Prange 2, 7; TASS, Fotochronika 25;
Weißes Haus, Washington, Pressestelle 29
Gesetzt aus der Times-Antiqua
von Fotosatz Otto Gutfreund, Darmstadt
Gedruckt und gebunden bei Mohndruck in Gütersloh
Printed in Germany

Inhalt

Vorwort	7
Wiedersehen mit Rußland	17
Verhandlungsauftrag in Moskau	29
Erste Spuren neuen Denkens	45
Die »Kreditwaffe« und ihre Folgen	68
Die Jamal-Pipeline tut sich schwer	80
Als Ausweg die Kunst	98
Die gemeinsame Vergangenheit holt uns ein	105
Ein wenig über Land und Leute	115
Isolation, vertikales Denken und Immobilismus	128
Der neue Mann und der neue Wind	136
Friedenskongreß mit ungewohnter Handschrift	153
Reisen in die Geheimkammern der Sowjetunion	161
Verunsicherung bei unseren Verbündeten	184
Die Entspannung setzt andere Akzente	196
Begegnungen mit der verfemten Kunst	222
Kommt das »Sowjetische Jahrhundert«?	241

Wir Russen sind ein junges Volk; wir fangen soeben erst an zu leben, obgleich wir schon tausend Jahre da sind; aber zu einem großen Schiff gehört auch eine große Fahrt.

Fjodor Dostojewski, 1876

Vorwort
von
August Graf von Kageneck

Wege nach Rußland – so überschreibt Friedrich Wilhelm Christians die Betrachtungen und Rückblicke, die er einem Lebensabschnitt von fast einem halben Jahrhundert widmet. Wege nach Rußland? Das verblüfft immer noch in unserem Zeitalter der ideologischen Abschottung. Das hat etwas Exploratorisches, vielleicht sogar Anrüchiges an sich. Und Rußland? Steckt hinter diesem Wort nicht etwas Geheimnisvolles, Unnahbares? Etwas, zu dem sich die Deutschen seit Jahrhunderten hingezogen fühlten?

In der Tat hat Christians Wege nach Rußland gesucht und gefunden. Wege, die einmal viele mit ihm gingen, gegen ihren Willen, und Wege, die er allein gegangen ist, oft sehr allein. Wohl kaum ein anderer Westdeutscher – Politiker, Wirtschaftler, Finanzier – ist so häufig in das »rote Riesenreich« gereist wie er. Es geschah unter Ausschluß der Öffentlichkeit. Was er dort tat, wußten nur die engsten Mitarbeiter und in der Politik allemal nur die, die es unbedingt wissen mußten. Er verhandelte im Auftrag seiner Bank über industrielle Großprojekte mit den Sowjets. Aber er verband damit, und bezeugt es in diesem Buch, einen sehr persönlichen Zweck. Er wollte nach Wegen suchen, wie man durch wirtschaftliche Kooperation die sterile Konfrontation zweier Militärblöcke in Europa überwinden könne. Da es ihm gegeben war, die Zeichen der Zeit früh zu erkennen, hat er das Terrain bereiten können, auf dem die heutigen Entwicklungen möglich wurden.

Den ersten Weg nach Rußland aber machte Christians, wie so viele seiner Generation, als Soldat. Ich hatte das Glück im Unglück, ihn auf diesem Weg ein Stück begleiten zu können. Noch nicht siebzehnjährig, hatten wir uns im April 1939 bei der »persönlichen Vorstellung« als künftige Fahnenjunker beim allerchristlichsten bajuwarischen Kavallerieregiment 17 in Bamberg kennengelernt. Unsere Herkunft aus dem Rheinisch-Westfälischen brachte uns in einem »Haufen«, der sich vornehmlich aus Bayern, Franken und Schwaben rekrutierte, rasch eng zusammen. Der Krieg war schon drei Monate alt, als unsere Grundausbildung im grimmigen ersten Kriegswinter begann. Diese bestand nicht nur im Erlernen des »Waffenhandwerks«. Es war auch der Typ des künftigen Offiziers gefordert, der in christlich-abendländischer Tradition wurzelte und seinen Untergebenen als ein ritterlicher Vorgesetzter gegenübertrat. Männer wie Claus von Stauffenberg oder Ludwig von Leonrod, die als Widerständler in die Regimentsgeschichte eingingen, waren unsere Vorbilder. Christians' angeborene Eigenschaften – Bescheidenheit, Verläßlichkeit, klarer Wille hinter nobler Zurückhaltung, Zähigkeit im Hinnehmen von Härte – befähigten ihn, den Anforderungen solcher Ausbildung gerecht zu werden.

Später, an der Front, hat er diese Eigenschaften unter Beweis stellen können. Seine Männer schätzten und respektierten ihn – auch persönlich –, obwohl er jünger war als sie. Als »Fels in der Brandung« erschien er mir bei unseren flüchtigen Begegnungen auf dem Schlachtfeld. Die erste Kugel traf ihn unmittelbar neben mir, bei minus 33 Grad auf einer vereisten Dorfstraße in der Schneewüste bei Kursk, Ende Januar 1942. Viermal wurde er im Ostfeldzug verwundet.

Christians war, wie wir alle mit unseren achtzehn Lenzen und unserer hyperpatriotischen Erziehung, ein Soldat mit selbstverständlicher Pflichtauffassung. Aber er haßte unsere Gegner nicht und versuchte, sie so anständig wie möglich – wie möglich in diesem Weltanschauungskrieg – zu behandeln. Was der Autor über das Rußland, das wir damals erlebten, über die Mamuschkas und die Babuschkas in ihren Katen und vor ihren Ikonen, was er über den »Iwan« und über die Schizophrenie des Krieges in einem Land schreibt, dessen Menschen wir achteten und mochten, gehört zum Schönsten in diesem Buch.

Was er an Eigenschaften mitbekommen und unter dem »grauen Tuch« zur Perfektion entwickelt hatte, befähigte ihn zu einer fulminanten Karriere im entmilitarisierten, darniedergebrochenen Deutschland. Zuweilen spürte ich ihn im zerstörten Bonn auf, wo er das Studium der Rechte begonnen hatte. Diplomat wollte er werden. Als ich ihn das nächste Mal traf, leitete er schon eine Filiale der Bank, in deren höchstes Führungsgremium er später aufsteigen sollte. Er war dem Bild treu geblieben, das ich mir von Anfang an von ihm gemacht hatte. Anspruchslos, fleißig und zielstrebig, mit einem westfälischen Hang zum Understatement und einer beispielhaften Befähigung zur

Führung von Menschen. Eigenschaften, die einen Hermann Joseph Abs überzeugt haben müssen, sein hoheitsvolles Auge auf ihn zu werfen. Er war es dem Vernehmen nach, der ihn in den Vorstand holte und ihn dort hielt, bis ein Sprecherposten frei wurde. Das Institut wird es nicht bereut haben. Christians hat seinen Fürsprechern das Vertrauen gelohnt, und die Bank lohnte ihm seine Treue.

Bei diesem Punkt meiner Betrachtungen über meinen Freund fühle ich seine Hand auf meiner Schulter und höre ihn sagen: »Nu' mach mal halbe.« Aber das vorher Gesagte erklärt erst, wie dieser Mann, dieser Bankier zu einer Persönlichkeit des öffentlichen Lebens aufstieg, deren Rat und Meinung man nicht nur in der Wirtschafts- und Finanzwelt schätzt. Friedrich Wilhelm Christians, der passionierte Reiter, wurde zum Vorreiter: zum Vorreiter der Entspannung mit der Sowjetunion.

Seinen »pares« im Vorstand der Deutschen Bank muß er dazu prädestiniert erschienen sein, nicht nur seiner »russischen Vergangenheit« wegen. Die hatten damals in den Vorständen deutscher Banken und Industriekonzerne viele. Seine Qualitäten als geduldiger, zuvorkommender, aber harter Verhandler, sein scharfer analytischer Verstand, sein enormes Arbeitsvermögen dürften den Ausschlag gegeben haben, als es galt, eine einmalige Chance zu ergreifen. Der sowjetische Außenhandelsminister Patolitschew hatte auf der Hannover-Messe 1969 plötzlich ein Fenster des roten Riesenreiches nach Westen geöffnet und Zusammenarbeit im Hochindustriebereich angeboten.

Es war eine enorme und eine doppelte Chance: einen Fuß auf einen Markt zu setzen, der ein traditionell deutscher und deutschbänklerischer war, aber durch Krieg und Kalten Krieg eine dreißigjährige Abschottung erfahren hatte, und zugleich Wege zu beschreiten, die, behutsam verfolgt, irgendwann aus einer sterilen Konfrontation in Europa herausführen könnten. Denn daß die Konfrontation nicht die letzte historische Antwort für Europa und die Welt sein konnte – und nicht sein durfte –, hatten aufgeschlossene Wirtschaftler auf beiden Seiten lange vor den Politikern erkannt, mit dem Gefühl für Gezeitenwechsel, das ihnen und guten Diplomaten eigen ist.

Christians hatte Diplomat werden wollen. Hier konnte er nun seiner ursprünglichen Neigung frönen und seine Vorstellungen in die Tat umsetzen. Er bezeugt in diesem Buch, wie er, mitten in der Breschnew-Ära, im Zeichen der Rüstungseskalation und des mehrfachen beiderseitigen Overkill, zu der Erkenntnis kam, daß der lähmende Zustand des Nicht-Krieges durch Abschreckung, in dem Europa seit zwei Jahrzehnten verharrte, durch die Dynamik der wirtschaftlichen Kooperation abgelöst werden müsse, der sich auch die politischen Beziehungen nicht würden entziehen können. Nach der uralten Formel: Der Handel kommt vor dem Wandel.

Seine ersten Kontakte in Moskau bestätigten ihm, daß diese Erkenntnis nicht einseitig war. Nur war sie bei den Sowjets anders motiviert. Sie waren mit ihrem Latein am Ende. Der Marxismus war in die Sackgasse geraten. Dieses Riesenreich – ein Unglück. Dilettantische Apparatschiks, völlige Fehlplanung in der Wirtschaft, verkrustete Verwaltungsstrukturen, vertikales Röhrendenken, Angst vor der Verantwortung und über allem die Knute des »Soll« mit ihrer unausbleiblichen Folge Korruption – es muß ihn oft geschaudert haben, wenn er abends im Hotel mit seinen Mitarbeitern Bilanz des Tages zog. Die Abgründe, die das System vor ihm enthüllte, hat wohl nicht selten Resignation aufkommen lassen.

Aber Christians gab nicht nach. Er nutzte den Vorteil, den ihm die inferiore Position des Verhandlungspartners bot, in zurückhaltender, aber doch entschiedener Manier. Und die Sowjets faßten Vertrauen zu ihm. Hier war einer, auf den war Verlaß. Dem konnte man sogar Mißstände anvertrauen, ohne fürchten zu müssen, daß er sie bei seiner Rückkehr in den Westen propagandistisch ausnützen würde.

Daß der Deutsche einst Krieg gegen sie geführt hatte, löste offenbar keine Ressentiments aus. Wenn sie darauf zu sprechen kamen, so eher, um gemeinsam das große Unglück zu beklagen, das über ihre Generation gekommen war. Christians, das sagte ich schon, brachte solchen Wallungen der unergründlichen russischen Seele gegenüber die beste Disposition entgegen, denn er hatte radikal mit der Vergangenheit abgerechnet und sich nie von der nationalsozialistischen Untermensch-Propaganda verführen lassen. Aber vielleicht noch wichtiger: Sein historisches Verständnis und sein kulturelles Interesse, ja seine Gemüts- und Seelenlage befähigten ihn, sich auf das sprunghafte Temperament der Russen und ihren Hang zur Transzendenz einzustellen.

Es darf aber auch gefragt werden, ob der ehemalige Rußlandkämpfer seine Motivation für den friedlichen Ritt nach Osten nicht gerade aus einem unterschwelligen Schuldbewußtsein oder zumindest aus dem tiefen, aufrichtigen Bedürfnis bezog, auch den Russen gegenüber einiges von dem, was er ihnen unter Befehl hatte antun müssen, wiedergutzumachen. Als ich ihn einmal vorsichtig danach fragte, wiegelte er ab. Gewisse Stellen in seinem Buch, seine Hinweise auf diese oder jene Episode aus dem Krieg, seine Betrachtungen zu Land und Leuten, seine Ansichten über die geostrategische Lage des Sowjetreiches und das Bedrohungsgefühl seiner Bürger deuten an, daß er sich freigemacht hatte von den Klischees der Zeit. Vielmehr versuchte er, den einstigen Gegner, dessen ideologische Fundamente zu wanken begannen, anders als in allein militärisch-strategischen Denkschemata zu beurteilen.

Aber damit stand er damals allein. In seinen ostwirtschaftlichen Initiativen war er lange ein Einzelkämpfer. An einer Stelle seiner Erinnerungen schwingt die Verbitterung nach, die er darüber empfand. Auch die Genugtuung verschweigt er nicht, die ihm das hastige Umschwenken einiger Zeitgenossen verschaffte, die auf den Zug aufspringen wollten, als keine Gefahr mehr drohte. Christians war unbeirrt in seiner Analyse der sowjetischen Zwänge, die zu einem Gelingen seiner Initiative führen mußten. Und er setzte auch beim Steifsten seiner vielen offiziellen Verhandlungspartner auf die Kraft zur Einsicht und den Sieg der Intelligenz.

Immer ganz nah an der Entwicklung in der Zentrale des Riesenreiches spürte Christians früh die »tektonischen Verwerfungen« im Apparat, die das Ende einer Ära ankündigten. Und er setzte auch immer auf den russischen Menschen in seiner einfachen Robustheit, seiner Leidensfähigkeit und seiner Arbeitsmoral, die überall da groß ist, wo sie sinnvoll, etwa im sibirischen

Erdgasfeld, gefordert wird. Beeindruckt hat ihn offenkundig auch die hohe Intelligenz sowjetischer Manager, von denen er einige ohne Zögern in den Nachwuchs für die Deutsche Bank aufnehmen würde. Wie ein roter Faden zieht sich durch seine Erinnerungen die Gewißheit, daß aus diesem Land Großes zu machen ist, wenn es sich erst einmal von den lähmenden Fesseln des planwirtschaftlichen Zentralismus befreit und dem schöpferischen Spiel der marktwirtschaftlichen Kräfte hingegeben hat. Christians ist kein Illusionist. Er weiß, daß diese Entwicklung ihre Zeit braucht. Aber er denkt in großen Zeiträumen und zögert nicht, den wachsenden Kraftzentren dieser Erde – Europa und Pazifisches Becken – ein »sowjetisches« als zwar völlig vage, aber denkbare Zukunftsperspektive hinzuzufügen.

Aber auch konkrete Vorschläge für heute und morgen unterbreitet er: Russische Arbeitskraft und deutsches Organisationstalent sollten schon bald, wenn es nach Christians ginge, in dem von ihm vorgeschlagenen Pilotprojekt »Ostseeregion K« (für Kaliningrad-Königsberg) der Welt vor Augen führen, welche unbegrenzten Möglichkeiten in dieser Kombination stecken.

Die Entwicklung hat ihm, wenn nicht alle Zeichen trügen, in erstaunlicher Weise schon heute recht gegeben. Der Triumph, den die Westdeutschen dem sowjetischen Generalsekretär und Staatspräsidenten Gorbatschow bei seiner Reise in die Bundesrepublik bereiteten, war auch ein wenig sein eigener – wenngleich ihm allzu unkritischer Applaus zuwider ist. Christians war der erste westliche Gesprächspartner, der dem neuernannten sechsten Nachfolger Stalins zu einem Meinungsaustausch gegenübersaß. Der intensive Dialog dauerte eine Stunde länger als vorgesehen. Als er beendet war, wußte Christians, »daß dieser Mann die Sowjetunion verändern kann«. Und damit auch die Verhältnisse in Europa. Das neue Denken, das er in den Köpfen der sowjetischen Staatsadministratoren hatte heraufdämmern sehen und das ihn zu den kühnen Milliardenabschlüssen ermutigte, die für die Geschichte seinen Namenszug tragen, hier war es endgültig und unumstößlich verkörpert.

»Wer soll es machen – wenn nicht wir? Und wann – wenn nicht jetzt?« lautet Gorbatschows Wahlspruch. In ähnlicher Formulierung hat das immer auch für Christians gegolten.

Wir wissen alle, welch schweren Weg Gorbatschow vor sich hat. Daß man ihm nach besten Kräften helfen sollte, ihn zu Ende zu gehen, ist heute sogar die Überzeugung des amerikanischen Präsidenten. Christians mag hinter verschlossenen Türen der Vorstandsetage der Deutschen Bank schon dafür plädiert haben, als die meisten Menschen im Westen noch ihre Vorstellungen vom bluttriefenden Bolschewiken hegten. Er zweifelte nie, auf dem richtigen Wege zu sein. Ein guter Schuß visionäre Kraft, ein noch besserer an nüchterner Einschätzung der Möglichkeiten gaben ihm die erforderliche Sicherheit. Die Politiker, die bei ihm Rat einholten, ließen sich davon anstecken. Ronald Reagan mag in seinen düsteren Vorstellungen vom »Reich des Bösen« schwankend geworden sein, als er Christians' Analyse der Politik des neuen Hausherrn im Kreml gelesen hatte.

Der Bankier hat sich nie direkt in die Politik eingeschaltet, aber er hat sie wahrscheinlich mehr beeinflußt als mancher Minister. Gerade weil er die Russen nie im Zweifel darüber ließ, daß er der Vertreter eines Landes sei, das fest im Westen verankert ist, konnte er die Türen zum Osten ein wenig aufstoßen. Die Russen hören nicht nur auf Argumente der Stärke, wie im Westen immer wieder behauptet wird, sie bauen auch auf Leute, die auf festem Grund stehen und nicht schwanken. Christians ist einer von ihnen. Seine Rolle ist nicht beendet. Man wird weiter seinen Rat suchen, im Osten wie im Westen.

Bonn, im Juli 1989 A. Graf v. K.

Wiedersehen mit Rußland

Die DC 9 der AUA flog nun schon eine gute Stunde über sowjetischem Gebiet. Sie war in Wien gestartet. Ein Deutscher, der nach Moskau wollte, mußte damals, im Dezember 1969, mit den »Austrian Airlines« fliegen. Die Lufthansa hatte noch keine Landerechte in der Hauptstadt der UdSSR. Der heiße Krieg war erst 25 Jahre her, der kalte noch nicht beendet.

Unter mir die weiten verschneiten Felder der Ukraine. In der diesigen Luft und der weißen Wüste war nur das dunkle Band des Dnjepr mit den ungenauen Umrissen von Kiew auszumachen. Dann überflogen wir die riesigen Wälder von Konotop. Schnee, Schnee. Wie damals in den »Rußlandwintern«, für die Adolf Hitler uns einen »Gefrierfleischorden« verlieh.

Irgendwo da unten mußte die Schisdra fließen. An ihren Ufern wäre ich damals fast für immer geblieben. Es war der zweite Rußlandwinter gewesen. Wir lagen in einem großen Wald, um dessen Besitz wir uns seit Wochen mit sibirischen Schützen schlugen. An einem frühen Morgen hatte ich das Grab meines unweit davon gefallenen Bruders aufgesucht. Später war ich mit einem Panzerspähwagen zu einer Lichtung vorgefahren, um Verbindung mit einem dort vermuteten Artilleriebeobachter aufzunehmen. Beim Ausbooten aus dem Panzer hat es mich erwischt. Zum drittenmal, nur schlimmer als vorher.

Die Kugel eines Baumschützen hatte von oben meinen Stahlhelmrand gestreift und war dann durch die Schulter in die linke Lunge gedrungen. Während ich im Schnee lag und auf meine Kameraden wartete, rann mir Blut aus Mund und Nase. Erst nach einer langen Weile, während der ich auf den Fangschuß meines Gegenübers wartete, kamen sie mich holen.

Noch heute muß ich über eine Fehlinterpretation meiner Anatomie lächeln, die mir damals, wohl in meinem Dämmerzustand, unterlief. Während ich in einer Kate von unserem Sanitäter untersucht wurde, hörte ich ihn deutlich sagen: »Der Leutnant hat einen klaren Brustschuß links.« Ich vernahm es mit Erleichterung. Da das Herz ja am »rechten« Fleck sitzt, dachte ich mir, würde ich wohl noch einmal davonkommen.

Nun, ich habe trotzdem überlebt und saß nun, Anfang Dezember 1969, in einem Flugzeug nach Moskau. Ich reiste im Auftrag der Deutschen Bank in die Sowjetunion, um über ein großes sowjetisch-deutsches Industrievorhaben zu verhandeln. Der Druckanstieg in der Kabine zeigte an, daß wir zur Landung ansetzten. Die Maschine machte einen weiten Bogen. Unter mir wuchs im Dunst das riesige Häusermeer der sowjetischen Hauptstadt empor. Moskau, die Fata Morgana von Millionen deutscher Soldaten, die sie nie erreichten. Sitz der größten Militärmacht der Erde, tödlichste Bedrohung des Okzidents, so hieß es damals.

Moskau-Scheremetjewo, Zivilflughafen der Hauptstadt, mit seinem damals noch völlig unzulänglichen Abfertigungsgebäude. (Erst seit dem Olympia-Jahr 1980 gibt es in Scheremetjewo II eine moderne Anlage, in Rekordzeit gebaut von einer deutschen Firma nach dem Vorbild von Hannover-Langenhagen.) Ich stieg die Gangway hinunter, und sogleich umfing mich eine unverwechselbare russische Duftwolke; diese Mischung aus dem Rauch der Machorka-Papyrossi, der von den Rotarmisten noch in der Tasche handgedrehten Zigarette aus Prawda-Papier und kurzgehäckselten Tabakblattstielen, dem scharfen Geruch der überall benutzten Kernseife – manchmal auch Desinfektionsmittel – und dem Dunst niedrigoktanhaltigen russischen Benzins. Schlagartig wurde mir bewußt, wo ich mich befand: in einem Land, in das ich, ein Vierteljahrhundert zuvor und auf Befehl, gewaltsam eingedrungen war und zu dessen politischen und wirtschaftlichen Führern ich jetzt als Vertreter eines anderen, eines neuen Deutschland erste neue Kontakte knüpfen sollte.

Auf Schritt und Tritt stieß ich auf höfliche, aber deutlich vermittelte Distanz, zu der sich das natürliche russische Mißtrauen Fremden gegenüber gesellte. Langes Warten auf Abfertigung, tastende Konversation. Später, auf der langen Fahrt in die Innenstadt, blieb mein Blick an einem Poster haften. Es zierte eine Hauswand unweit des Denkmals an der breiten Einfallstraße von Nordwesten, welches die Stelle kennzeichnet, an der im Spätherbst 1941 die vordersten deutschen Panzerwagen endgültig zum Stehen gebracht wurden. Das Bild zeigte eine zarte Blume in einer Ackerfurche, auf die der drohende Schatten eines deutschen Knobelbechers fiel. Der Krieg, der

Große Vaterländische Orlog, war – und ist – keineswegs vergessen.

Ich mußte mich daran gewöhnen, mir statt Rußland den offiziellen Namen dieses Landes einzuprägen: Union der Sozialistischen Sowjetrepubliken – UdSSR oder kurz: Sowjetunion. Und die Menschen, mit denen ich es zu tun haben würde, sind Sowjets und, soweit nicht ethnisch gemeint, keine Russen. Meine Gesprächspartner legten großen Wert auf richtige Bezeichnungen, vor allem in Vertragstexten.

Ich habe allerdings den Spieß bald umgedreht. Die Sowjets beliebten, unser Land mit dem Kürzel BRD zu bezeichnen. Unter Hinweis auf unsere Verfassungstexte habe ich stets darauf bestanden, den vollen Namen »Bundesrepublik Deutschland« zu verwenden. Das führte später, zum Beispiel bei der Unterzeichnung des über Jahre, von 1979 bis 1982, verhandelten umfangreichen Kreditvertrages für die Jamal-Pipeline, zu einer grotesken Situation. Unmittelbar vor der – protokollarisch sehr hoch aufgehängten – Vertragsunterzeichnung in Leningrad bemerkte ich im Vertragstext wiederum das ominöse Kürzel BRD. Ich verlangte eine Änderung. Die Sowjets verwiesen händeringend auf den Zeitdruck, die wartenden Fernsehjournalisten, die geplanten beiderseitigen Erklärungen vor der nationalen und internationalen Presse. Ich bestand auf der Änderung, und sie wurde durchgeführt.

Doch zurück zu meiner ersten Einreise. Die lange Fahrt in die Innenstadt, in ihrer letzten Phase geprägt vom großartigen Blick auf die goldene Kuppel des Kreml, endete am »Hotel National«, der traditionsreichen Nobelabsteige am Ende des Gorki-Prospekts, gleich gegenüber der Kremlmauer. Wiederum lange Wartezeiten am Empfang, mit Paß- und Gepäckkontrolle, bevor man uns auf unsere Zimmer führte.

Das Haus stammt aus der Zarenzeit. Es schwelgt in Elementen des Jugendstils, die damals gerade behutsam renoviert wurden. Alles atmet hier Geschichte: aristokratische und revolutionäre. Deutsche kommunistische Emigranten wohnten in den dreißiger und vierziger Jahren hier, entkamen den Stalinschen Häschern; Wehner, Leonhardt und viele andere. An all das dachte ich, während ich über die dicken Teppiche der langen Gänge schritt.

Atmosphärisch ähnlich dem »National« das unweit davon, gegenüber dem Bolschoi gelegene »Metropol«, in dem wir später jahrelang, zusammen mit anderen Firmen aus der Bundesrepublik und Westeuropa, unser erstes Büro für die Deutsche Bank hatten. Um die Jahrhundertwende von einem deutschen Kaufmann gebaut, beherbergt es auf dem gleichen Flur die üppig mit Gold und rotem Velours ausgestattete Präsidentensuite. Von ihrem Seitenfenster aus erblickt man im Hintergrund – sinnigerweise – das Gebäude des KGB. In den Prachträumen des »Metropol« habe ich später oft gewohnt. Zu unserem Büro brauchte ich dann nur über den Flur zu gehen.

Nicht so bei diesem ersten Besuch in Moskau im Dezember 1969. Unsere Zimmer im »National« befanden sich im hinteren, eher lichtlosen Flügel des Hotels. Als ich die Zimmertür aufschloß, huschte aufgeschreckt eine kleine Maus davon. Das Zimmer war karg möbliert, es erschien mir feindlich und abstoßend. Von der Decke baumelte an einem langen Draht eine nackte Birne. Die schwarzen Fenster gingen auf einen unbeleuchteten Innenhof. Als ich den tristen Eindruck mit dem Vorhang zu mildern versuchte, verfing ich mich in der Ziehschnur, und die ganze Vorrichtung kam von der Decke auf mich herunter. Weitere Versuche, mich wohnlicher einzurichten, habe ich daraufhin nicht mehr unternommen. Gegen Mißgeschicke dieser Art bekommt man in Moskau schnell ein dickes Fell.

Trotzdem bewahre ich eine nostalgische Erinnerung an das »National«. In den mehr als dreißig Reisen in die Sowjetunion habe ich immer wieder einmal dort gewohnt. Bald rückte ich in die »Beletage« des Hauses auf. Oft habe ich abends, nach einem langen Arbeitstag, am Fenster gestanden und den Blick über den weiten Platz auf mich wirken lassen: das Stadthaus zur Linken; gegenüber die breite, steile Auffahrt zum Roten Platz mit dem Lenin-Mausoleum und dem gigantischen Kaufhaus GUM, die imponierende Fassade des Kreml und die vielen Türme der Basilius-Kathedrale; rechts der ehemalige Marstall der Zaren, heute vornehmlich zu Kunstausstellungen benutzt; der breite Grüngürtel zu Füßen der achtzehn Meter hohen Kremlmauer mit dem Grabmal des Unbekannten Soldaten und der ewigen Flamme.

Oft habe ich von meinem Balkon in der Beletage beobachtet, wie an jener Ecke Brautpaare in wartende Taxis stiegen, die sie vorher an diesen Aufgang zum Roten Platz und zum Lenin-Mausoleum gebracht hatten. Meistens sah man es den Gesichtszügen der jungen Leute an, aus welcher Region des Riesenreiches sie in die Hauptstadt gekommen waren, um hier ihren Bund fürs Leben zu schließen. Der Gang zum Mausoleum des Gründers der Union erschien mir wie eine feierliche, fast religiöse Zeremonie – mit der Niederlegung des Brautstraußes oder eines Straußes roter Nelken auf dem Grabmal und einem Photo vor dem mächtigen Kubus für nachfolgende Generationen.

Damals, an jenem ersten Winterabend 1969 in Moskau, fand ich keinen Schlaf in meinem ärmlichen Hotelzimmer. Zu viele Eindrücke und Erinnerungen hielten mich wach. Ich kleidete mich wieder an, drückte mich an dem unvermeidlichen weiblichen Zerberus auf dem Flur vorbei und begab mich auf die Straße. Es war eine glasklare, eisige Winternacht. Der festgefahrene und von Tausenden von Füßen festgetretene Schnee des Roten Platzes knirschte unter meinen Schuhen. An was erinnerte mich das doch?

Mein Blick schweifte hinüber zu den beiden unbeweglichen, wie aus Marmor gehauenen Rotarmisten beiderseits des Eingangs zum Leningrab, von dort nach oben zur riesigen, träge im Nachtwind sich blähenden roten Fahne auf der Kuppel des Ministerratsgebäudes, unter dessen Dach die höchste sowjetische Exekutive tagt. Von Scheinwerfern messerscharf aus dem blauen Dunkel der Nacht geschnitten, ging etwas Triumphierendes, beinahe Majestätisches von dem seidenen Tuch aus. Einige Fenster in dem riesigen Gebäude waren noch erleuchtet. Wer mochte sich da über Akten beugen? fragte ich mich. Wer waren diese Apparatschiks der absoluten, uneingeschränkten Macht über 285 Millionen Menschen? Und wie würden jene sein, denen ich nun bald gegenüberzutreten hatte? In der nächtlichen Stille strahlte die Zitadelle – Mischung aus Trutzburg und Monasterium, Zentrale eines furchtgebietenden Imperiums – eine geheimnisvolle Faszination aus.

War ich noch befangen in Vorstellungen, die Jahrzehnte lang mein Rußlandbild geprägt hatten? Die großen roten Sterne auf den Zinnen der Türme waren mir unheimlich. Sie schufen Assoziationen zu längst Verdrängtem. Solche Sterne hatten die Käppis und die Koppelschlösser der Rotarmisten, denen wir monatelang gegenübergelegen hatten, aber auch die Türme ihrer Panzer, die uns später wie Kaninchen jagten, als es zurückging. Haben wir die russischen Soldaten damals gehaßt? Und wie war das, als man versuchte, uns eine nahezu fanatische Animosität gegen alles einzupeitschen, was sowjetisch war?

Der brutale Schwenk der Hitlerschen Politik vom sogenannten Freundschaftsvertrag vom August 1939 zum Angriffsbefehl knapp zwei Jahre später hatte uns alle völlig überraschend getroffen. Die nationalsozialistische Propaganda mußte also über Nacht ein Feindbild schaffen, das uns zum Angriff animierte. Plötzlich war die Sowjetunion, der Freund von gestern, das absolut Böse, Moskau die Zentrale eines ungezügelten, erbarmungslosen Feindes, der zum Schlag in den Rücken des friedliebenden Großdeutschen Reiches ausholte. In schrecklichen Bildern wurde uns gezeigt, was dem deutschen Soldaten, dem deutschen Volk drohte, würden wir diesen Krieg nicht gewinnen. Stalin, in der Gestalt eines potenzierten Iwan des Schrecklichen, werde dann mit seinen jüdisch-bolschewistischen Kommissaren und seinen asiatischen Horden über uns herfallen und sich mordend und brennend ganz Westeuropa untertan machen.

In unseren Bereitstellungsräumen hatte es wenige Tage vor Angriffsbeginn am 22. Juni 1941 in Latrinenparolen der Landser und offiziösen Mitteilungen an die Offiziere eine ganz andere Sprachregelung gegeben. Deutsche Truppen seien massiv nach Polen verlegt worden, so hieß es, um mit sowjetischer Einwilligung friedlich durch die südliche Sowjetunion zu marschieren und die strategisch wichtigen Ölfelder von Baku am Kaspischen Meer gegen feindliche – sprich: britische – Angriffe zu verteidigen. Und nun schaltete die deutsche Propaganda übergangslos um und stellte uns das Zerrbild eines unbarmherzigen Feindes vor Augen. Wir waren plötzlich in einen weltanschaulichen Krieg verwickelt – als Soldaten eines Kreuzzugs, in dem es um Sein oder Nichtsein der westlichen Zivilisation ging.

Diese Kreuzzugsidee machten sich, nolens volens, auch die beiden Seelsorger unserer Division zu eigen. In ihren den Umständen entsprechend eher seltenen Sonntagspredigten bedienten sie sich des Johanniter Balkenkreuzes, welches unsere Panzer und Fahrzeuge schmückte, um uns die richtige Einstellung im »Kampf gegen den Unglauben« zu vermitteln. Der mit Angriffsbeginn herausgegebene »Kommissarbefehl«, der die sofortige Exekution aller in unsere Hände geratenen Politruks, der politischen Offiziere der Roten Armee, anordnete, wurde in unserer Einheit nicht befolgt. Daß er erging, konnte indes bei der nahezu hysterischen Hetzpropaganda, welche die ersten Vormärsche begleitete, nicht verwundern.

Zur Verteufelung des Gegners gehörten auch Warnungen, ihm ja nicht in die Hände zu fallen. Pardon werde für deutsche Gefangene nicht gewährt, hieß es, für Offiziere erst recht nicht. Besonders von den Kommissaren sei keine Gnade zu erwarten. Rückblikkend muß ich sagen, daß solche Drohungen ihre Wirkung nicht verfehlten. In der Tat wurde es als Erlösung empfunden, durch Verwundung oder Versetzung an eine andere Front dem Hexenkessel Rußland entrinnen zu können. Bis zum bitteren Ende blieb der russische Gegner für den deutschen Soldaten identisch mit einem gnadenlosen, grausamen Regime.

Nicht so die Russen als Menschen, die kennenzulernen wir ja in monatelangen winterlichen Stellungskriegen hinreichend Gelegenheit hatten. Schon im Sommer 1941 wurden wir zu unserer Verblüffung von Teilen der Bevölkerung in der Ukraine mit Girlanden und traditionellen Gastgeschenken empfangen. Die Propaganda beeilte sich, uns die Erklärung dafür zu liefern: Das russische Volk warte ächzend auf die Befreiung vom Stalinschen Terror durch die deutsche Wehrmacht. Eine Zeitlang hielt diese Welle der Sympathie an. Dann änderte sich das Klima schlagartig, als nachrückende SD-(Sicherheitsdienst-)Einheiten in ihrem Sinn »für Ordnung« sorgten. Was die wirkliche oder vorgespiegelte Grausamkeit dieses Krieges anging, so hatten wir zumindest mit der anderen Seite gleichgezogen.

An all das mußte ich denken, als ich in jener Nacht des ersten Wiedersehens mit Rußland, den Mantelkragen hochgeschlagen und die Hände tief in den Manteltaschen vergraben, zu den erleuchteten Fenstern des Kreml hinaufschaute. Sehr viel später habe ich selbst hinter diesen Fenstern gestanden und auf die Menschen zu meinen Füßen auf dem Roten Platz heruntergeblickt, als geehrter Gast der Männer, die damals noch gesichtslos für mich waren, starre Funktionäre eines kalten Machtapparats, wie wir sie von der Politbüro-Tribüne der Oktoberumzüge kannten.

Bei diesem ersten Aufenthalt in Moskau, und auch noch Jahre danach, mußte ich immer wieder feststellen, wie sehr die Erinnerung an den Krieg, den sie »den Großen Vaterländischen« nennen, von den Sowjets wachgehalten wurde, wie gegenwärtig für sie die Vorstellung von einer neuen Bedrohung war. Zu einer Zeit, da wir uns in der Bundesrepublik Deutschland in einer guten ökonomischen Entwicklung längst damit abgefunden hatten, aus einem Teil des geteilten Deutschland einen eigenständigen, freien Staat zu schaffen, in dem es sich zu leben lohnt, war dieses Bewußtsein der Bedrohung bei meinen sowjetischen Gesprächspartnern immer wieder spürbar. Man hat im Westen oft darüber gerätselt, wie die so mächtige Sowjetunion diesem Trauma erliegen konnte. Für einen Deutschen aus der kleinen Bundesrepublik mit ihrer begrenzten militärischen Macht ist dies bis heute kaum verständlich. In vielen Gesprächen habe ich versucht, es mir zu erklären.

Was ist mir dabei bewußt geworden? Die Sowjetunion ist das größte Land, der flächenmäßig größte Staat der Erde. Von Brest-Litowsk im Westen bis Wladiwostok im Osten sind es rund 10000 Kilometer. Beziehe ich die Insel Sachalin, ebenfalls sowjetisch, mit ein, sind es vom einen bis zum anderen Ende gar 12000 Kilometer. Die Nord-Süd-Dimension beträgt 4000 bis 6000 Kilometer. Der europäische Teil der Sowjetunion, den wir gemeinhin mit Rußland identifizieren, verfügt über so gut wie keine natürliche Schutzgrenze zur Verteidigung. Wer weiß schon, daß in diesem riesigen Rußland die höchste Erhebung die

Waldai-Höhen mit 420 Meter sind? Über historische Zeiten hinweg hat dieses Land immer offen dagelegen: offen, eben auch durch die Form seiner Landschaft, für jeden Zugriff von Westen wie von Osten. Tataren und Mongolen haben es überfallen und jahrhundertelang okkupiert und malträtiert. Aber auch westliche Heere! Napoleon hielt 1812 in Moskau Einzug. Im Ersten Weltkrieg drangen deutsche Truppen beinahe bis Minsk vor. So etwas bleibt nicht ohne Spuren im Bewußtsein eines Volkes.

Vielleicht bin ich all dessen erst im Verlauf meiner Reisen gewahr geworden und nicht schon an jenem einsamen Abend auf dem Roten Platz, der noch ganz unter dem Eindruck des Schocks meiner ersten Begegnung mit der gegnerischen Supermacht stand. Daß man aber die Sicherheitsprobleme – oder besser: Traumata – der Sowjetunion auch aus deren Gesichtswinkel begreifen müsse, um einige ihrer erratischen Reaktionen zu verstehen, habe ich mir bei allen späteren Kontakten zur Richtschnur gemacht.

Am Tag darauf begannen dann die Verhandlungen in der Außenhandelsbank, derentwegen ich die Reise in die Sowjetunion angetreten hatte.

Verhandlungsauftrag in Moskau

Wie war es zu dieser Reise gekommen? Auf der Hannover-Messe 1969 hatte der damalige Außenhandelsminister Nikolaj S. Patolitschew, ein alter Kämpfer aus Revolutionstagen, die Tür nach Westen einen Spalt breit geöffnet. Die Sowjetunion werde sich, so hatte er auf dem Stand seines Landes erklärt, für die Einfuhr westlicher Maschinen und Anlagegüter »empfänglich« zeigen. Den Sowjets war zu diesem Zeitpunkt offenbar klargeworden, daß die vollmundigen Verkündungen von Nikita Sergejewitsch Chruschtschow nach seinem Besuch in den USA im Jahre 1959 ganz und gar nicht – ja nicht einmal annäherungsweise – in Erfüllung gehen würden. Chruschtschow hatte gesagt, daß es nur eine Frage von Jahren sei, bis die Sowjetunion die Vereinigten Staaten von Amerika in der Industrieentwicklung und im Lebensstandard eingeholt haben werde. Nun kündigte Patolitschew also an, man wolle konkret über eine Zusammenarbeit mit dem Westen und über die Einfuhr westlicher »maschineller Anlagen« verhandeln.

Als eine der ersten deutschen Großfirmen wurde Mannesmann angesprochen, und zwar auf die Lieferung von Großrohren für Naturgasleitungen. Mannesmann hatte Erfahrung im Rußlandgeschäft. Der Düsseldorfer Konzern hatte schon in seinem Gründungsjahr 1890, in enger Anlehnung an die Deutsche Bank, eine erste Leitung aus nahtlosen Stahlrohren für eine russische Fabrik im Kaukasus geliefert. Um die Jahrhundertwende hatte er dann die bekannte 900 Kilometer lange Ölleitung von Baku nach Batum am Schwarzen Meer gebaut. Seit 1912 galt Mannesmann für Ölleitungsrohre quasi als »Hoflieferant« des Zarenhauses. Nach der Oktoberrevolution kamen die Beziehungen zum östlichen Handelspartner recht bald wieder in Gang. Und bereits 1926 übernahm die Deutsche Bank die Führungsrolle bei einem großen deutschen Bankenkonsortium zur Finanzierung deutscher Exporte in die UdSSR.

Auch diesmal stellte sich die Frage einer langfristigen Finanzierung. Als Mitglied des Mannesmann-Röhren-Aufsichtsrats war ich im Vorstand der Deutschen Bank hierfür zuständig. Die nun beginnenden Verhandlungen habe ich von Anfang an mit Interesse und Engagement geführt.

Tatsächlich hatte ich mich schon seit längerem mit der Geschichte der deutsch-sowjetischen Beziehungen befaßt. Just 1969 bereiteten wir das hundertjährige Jubiläum der Gründung der Deutschen Bank für April 1970 vor. Wir hatten einen kundigen Publizisten beauftragt, die herausragenden Ereignisse der Geschichte unseres Hauses aufzuzeichnen. Und dazu gehörte auch die oben erwähnte Finanzierungsaufgabe. Hier existierte also eine gewisse Tradition. Und daran ließen sich vielfältige Überlegungen knüpfen.

Hinzu kam, daß der Verlauf der fünfziger und sechziger Jahre mit seinen auf- und abschwellenden Phasen des Kalten Krieges mir die Erkenntnis vermittelt hatte, daß die mit dem Mauerbau in Berlin geschaffene Situation der Trennung und Abschottung kein Dauerzustand sein konnte. Die Aufnahme zumindest vernünftiger Wirtschaftsbeziehungen durch vorsichtige Kontakte war meiner Ansicht nach nur eine Frage der Zeit.

Als die Bundesregierung 1962 auf amerikanischen Druck das sogenannte Röhrenembargo verhängte, mit dem die Lieferung von Ausrüstungsgütern zur Erstellung einer Pipeline in der Sowjetunion untersagt wurde, war das eine herbe Enttäuschung und ein folgenschwerer Rückschlag: Das immer wieder beobachtete Mißtrauen der Sowjets westlichen Partnern gegenüber wurde nun noch stärker. Auf deutscher Seite führte das Embargo zu einer gewissen Entfremdung und schließlich Zurückhaltung den Sowjets gegenüber. Man lebte sich zusehends auseinander – sieben ganze Jahre lang.

Nun erschien mir die von Außenhandelsminister Patolitschew in Hannover angedeutete Möglichkeit von Exporten in die Sowjetunion als Chance für einen Neubeginn. Und daran knüpfte ich die Erwartung, damit auch Wege für eine künftige politische Entspannung freischlagen zu können.

Schon bald nach Patolitschews Äußerung in Hannover ließ sich in meinem Büro in Düsseldorf im Frühjahr 1969 ein Herr Sweschnikow, Chairman der sowjetischen Außenhandelsbank, anmelden. Er wollte mit mir über einen Milliardenkredit zur Finanzierung der Einfuhr von Mannesmann-Großrohren zum Bau einer Erdgas-Pipeline sprechen. Er war mein erster sowjetischer Verhandlungspartner, und es sollte das erste Geschäft dieser Art werden, dessen Grundschema sich dann mehrfach wiederholte: Lieferung von Großrohren der deutschen und von Naturgas der sowjetischen Seite unter Finanzierung durch ein deutsches Bankenkonsortium. Die Rückzahlung des Kredits sollte durch spätere Gaslieferungen erfolgen. Es ging also um ein schlichtes und leicht verständliches Dreiecksgeschäft, das vernünftig abgewickelt werden konnte und dessen Geschäftszweck klar erkennbar war.

Den Besuch von Herrn Sweschnikow in Düsseldorf erwiderte ich mit meiner ersten Reise in die Sowjetunion zur verabredeten Fortführung der Vertragsverhandlungen. Schon bei den Vorgesprächen mit meinen Mitarbeitern während des Fluges und später im Hotel waren wir uns voll bewußt, daß man es uns nicht leichtmachen würde. Allerlei Schilderungen von Kaufleuten, die vor uns in Moskau gewesen waren, hatten ihren Eindruck auf uns nicht verfehlt. Da gab es skurrile Begleiterscheinungen. Die Gegenseite scheute sich nicht, so hatte man mir gesagt, verführerische junge Damen einzusetzen, die beim abendlichen Plaudern herausbekommen sollten, welches unsere Absichten und Bedingungen sein könnten. Wir gingen selbstverständlich von der Annahme aus, daß wir in unseren Hotelzimmern mittels »Wanzen« abgehört wurden. Wir haben uns sehr ernsthaft auf solche »Intelligence«-Methoden unserer Gastgeber eingerichtet, denn wir hielten uns und das, was wir zu verhandeln hatten, für wichtig genug, um mit »besonderer Aufmerksamkeit« rechnen zu dürfen.

Man hatte uns sogar einen Rat mitgegeben, wie wir uns in Zimmern, die vermutlich mit Abhöreinrichtungen versehen waren, unterhalten könnten, ohne ein allzu großes Risiko einzugehen: Wir sollten uns auf den Rand einer Badewanne setzen und so laut wie möglich Wasser einlaufen lassen. Das dadurch erzeugte Geräusch sei so stark, daß die Unterhaltung am Badewannenrand von keiner »Wanze« aufgenommen werden könne. Mehrfach habe ich auch vom Angebot der deutschen Botschaft in Moskau Gebrauch gemacht, sensible Gespräche mit Teilnehmern in der Bundesrepublik vom dortigen »Faradayschen Käfig«, einer absolut abhörsicheren Zelle, zu führen.

Unsere ersten Verhandlungen fanden in der Außenhandelsbank statt, die inzwischen in Außenwirtschaftsbank umbenannt worden ist. Damals war sie in der Nähe des großartigen Gebäudes der Gosbank, der Nationalbank der Sowjetunion, untergebracht. Bis zur Änderung der Struktur des Bankenapparats im Jahre 1988 war diese Zentralbank mit ihren über 80000 Filialen für das gesamte bankmäßige Inlandsgeschäft zuständig. In gewisser Weise beherrschte sie auch die für den Verkehr mit den ausländischen kommerziellen Banken zuständige Außenhandelsbank, wie ich in meinen Verhandlungen bald bemerkte. Zuweilen glaubte ich auch, eine Rivalität zwischen den beiden Instituten zu spüren. Der Chef der Gosbank ist gleichzeitig Mitglied des Kabinetts, verfügt also über politischen Einfluß. Über Jahre hin hatte diesen Posten Wladimir S. Alchimow inne, auf den ich noch zu sprechen komme. Wir hatten ein gutes, fachlich fundiertes Einvernehmen miteinander, das uns über viele Schwierigkeiten hinweghalf. Das gilt besonders für das oft kritisch verlaufene Jamal-Pipeline-Geschäft, welches zwischen 1979 und 1982 ausgehandelt wurde.

Die Außenhandelsbank ist in den zwanzig Jahren meiner Verhandlungen mehrmals umgezogen. Ihre Unterkunft war immer sehr bescheiden. Ich kann nur bewundernd feststellen, daß bei den von Jahr zu Jahr wachsenden Aufgaben dieser Bank die Arbeit trotz aller äußeren Unzulänglichkeiten stets pünktlich bewältigt wurde. Schon vor vielen Jahren bekam ich das eindrucksvolle Modell eines Neubaus zu sehen, in dem alle in Moskau angesiedelten Finanzinstitute untergebracht werden sollten: ein riesiges Hochhaus, das aber bis heute, also bis 1989, noch immer nicht bezogen ist.

Bei den 1969 beginnenden Kreditgesprächen ergab sich schnell ein gewisses Schema, welches sich als funktionsfähig erwies und bis zuletzt beibehalten wurde. Ich erschien meist mit nur zwei Mitarbeitern, die zu meiner Rechten und Linken Platz nahmen, während auf der gegenüberliegenden Tischseite die sowjetische Delegation mit fünf bis zehn Personen, manchmal auch mehr, präsent war. Bald sammelten wir Erfahrungen, die ich später auch mit dem Auswärtigen Amt in Bonn austauschte, in welcher Sprache solche Verhandlungen am besten zu führen seien und welche Form sich als zweckdienlich erwies.

Gerne erwähne ich hier die tüchtigen Mitarbeiter aus der Bank, die mich über Jahre meiner Verhandlungen hinweg mit der nötigen Resistenz, Geduld und Ausdauer wirksam unterstützt haben. Zwei von ihnen möchte ich besonders nennen: Dr. Ernst Taubner, Leiter der Außenhandelsfinanzierung, der im Geschäft mit der Sowjetunion schon viel Erfahrung hatte und mich von Anfang an begleitete, sowie den 1979 hinzugekommenen Dr. Axel Lebahn. Er sprach nicht nur perfekt Russisch, sondern kannte sich aus der Zeit seines Studiums an der Moskauer Universität auch mit Land und Leuten aus.

Die sowjetische Seite machte mir schon bei der ersten Sitzung klar, daß formelle Verhandlungen jeweils in Deutsch und Russisch zu führen seien, man sich beim informellen Teil, in den Pausen oder während der Mahlzeiten natürlich auch in anderen Sprachen, etwa auf englisch oder französisch, unterhalten könne. Im Verlauf meiner Besuche konnte ich feststellen, wie sich das Ausbildungsprogramm meiner Gesprächspartner im Sprachlichen niederschlug. Das Englische hatte den klaren Vorzug vor dem Deutschen. Bewundert habe ich die hohe Qualität unserer sowjetischen Dolmetscher, deren Deutsch völlig akzentfrei war. Es zeigte sich auch – und wurde mir vom Auswärtigen Amt bestätigt –, wie sinnvoll es ist, konkrete Verhandlungen in der Muttersprache zu führen. Hierbei stellte sich ein Rhythmus ein, der, einem Metronom gleich, Rede und Widerrede präzise abspulte.

Mit der Zeit eignete ich mir auch einen gewissen Wortschatz an und verstand Russisch wenigstens so weit, daß ich die wichtigsten Vokabeln in der Ansprache meines Gegenüber erfassen und ungefähr erkennen konnte, wohin die Richtung ging. Da ich mich bemühte, langsam und deutlich zu artikulieren, taten es mir meine russischen Partner gleich. Und das wiederum wirkte sich in der Nutzanwendung vorteilhaft aus. Wir brachten es auf die Formel: Das Gespräch wird dadurch disziplinierter, inhaltlich konkreter und effizienter hinsichtlich des angestrebten Ergebnisses.

Bald machten meine Begleiter mich auf einen verblüffenden Umstand aufmerksam: Bei fast allen Sitzungen saß uns in der breiten Reihe unserer Gesprächspartner ein Vertreter des KGB gegenüber. Meine Mitarbeiter hatten Muße, die andere Seite während der Verhandlungen aufmerksam zu mustern, während ich mich meist auf den jeweiligen Verhandlungsführer einstellen mußte. Wir entwickelten schließlich ein gewisses Geschick, den KGB-Mann ziemlich rasch zu identifizieren. Auch bei späteren Reisen ins Landesinnere stießen wir auf diese Art Reiseteilnehmer. Ich habe mich so daran gewöhnt, daß ich bald keinerlei Anstoß an dieser Präsenz mehr nahm. Sie hat mich auch nie daran gehindert, meine Meinung zu sagen, wenn Kritik an vorgefundenen Zuständen angebracht war.

Der mutmaßliche Vertreter des Geheimdiensts ergriff nie das Wort. Er hörte nur zu und beobachtete. Wie es hieß, sei der KGB allgegenwärtig und galt als die bestinformierte Institution, sogar vor der Regierung und gar dem Politbüro. Diese Allgegenwärtigkeit erschwerte es, bilaterale Verabredungen – etwa unter vier Augen – zu treffen. Das Zögern der in diesem Sinne Angesprochenen war deutlich zu spüren. Nur ganz selten ist es mir gelungen, etwa beim Aufenthalt von sowjetischen Delegationen in der Bundesrepublik, sowjetische Kollegen privat einzuladen. Niemand sollte einen Alleingang wagen, jeder sollte sich zum Wohlverhalten beobachtet fühlen ... »Big brother is watching you!«

Auch unsere drei Sekretärinnen, selbstverständlich sowjetische Staatsbürgerinnen, waren KGB-geprüft und zur regelmäßigen Berichterstattung verpflichtet, was ganz und gar nicht bedeutete, daß sie nicht tüchtig und menschlich zuverlässig waren.

Bei Reisen nach Tiflis (Georgien) und Eriwan (Armenien), auf denen mich meine Frau begleitete, konnte ich mich jeweils lange mit den örtlichen Kirchenführern unterhalten, auch dies in Gegenwart des Beobachters vom Innenministerium. Beide sowjetischen Republiken sind als besonders religiös bekannt. Die beiden Patriarchen der orthodoxen Kirche unterrichteten mich eingehend über das kirchliche Leben ihrer Gemeinden. Sehr beeindruckt hat mich der Patriarch von Armenien. In fehlerfreiem Oxford-Englisch erzählte er mir aus der Geschichte seines Volkes. Armenien, Landbrücke zwischen Europa und Asien, sei immer wieder überfallen, besetzt und ausgeraubt worden; die Armenier seien Opfer von vielerlei Drangsal bis hin zum Völkermord geworden. Dabei zeigte der Patriarch auf das eindrucksvolle Denkmal auf einem Hügel oberhalb der Stadt, welches mit seiner ewigen Flamme den Reisenden an diese grauenvollen Zeiten erinnert. Der Kirchenfürst fügte indes hinzu, daß Armenien nun seit mehr als sechzig Jahren eine Republik der UdSSR und dies – im historischen Maßstab – die erste Periode sei, in der sein Volk in Ruhe habe leben und nachts ohne Sorge habe schlafen können. Inzwischen hat sich jedoch gezeigt, wie trügerisch diese Befriedung ist. Die alten ethnisch und kulturell bedingten Konflikte sind wieder aufgebrochen.

Ende 1969 nahmen mich freilich ausschließlich die Verhandlungen über das große Dreiecksgeschäft Röhren und Kredit gegen Gas in Moskau in Anspruch. Im Klartext: Die Sowjets benötigten einen Kredit zur Förderung und West-Lieferung ihrer immensen Naturgasvorkommen in Sibirien. Über die Bedingungen würde man zu sprechen haben.

Die Verhandlungen gingen sogar recht zügig vonstatten. Schon am 1. Februar 1970 kam es zur feierlichen Unterzeichnung des Vertrags im »Kaiserhof« zu Essen. An der Zeremonie nahmen Außenhandelsminister Patolitschew für die Sowjetregierung und der damalige Wirtschaftsminister Professor Schiller für die Bundesregierung teil. Sie sollten durch ihre Anwesenheit bezeugen, von welch eminenter politischer Bedeutung dieses erste große Vertragswerk für *beide* Regierungen war. Aber die Minister waren nicht Unterzeichner des Vertrages. Auf deutscher Seite unterschrieben die Vertreter der Bank, die die Kreditverhandlungen geführt hatte, für die Industrie gab der Vorstand von Mannesmann als Lieferant der Röhren, für die Gasabnehmerseite der Vorstand der Ruhrgas die Unterschrift.

Den Sowjets ist es immer wieder schwergefallen, die Verhandlungsszene, aber auch meine Person richtig einzuschätzen. In Moskau habe ich als Vertreter meiner Bank, der Deutschen Bank, und zugleich als Führer eines deutschen Bankenkonsortiums verhandelt. Es gab ein Verhandlungsmandat dieses Konsortiums für den Federführenden. Meine Bank und selbstverständlich ich auch waren aber privater Natur. Private Institute, nämlich ein großer Kreis deutscher Banken, bestimmten auch die Zusammensetzung des Konsortiums.

Auf sowjetischer Seite dagegen erschienen natürlich Minister, stellvertretende Minister, Abteilungsleiter der verschiedenen Ministerien, in erster Linie der von mir sehr geschätzte, schon erwähnte Herr Alchimow, Präsident der Zentralbank. Und die Sowjets hatten immer wieder Probleme damit, daß hier ein –

damals noch relativ junger – Mann mit exorbitanten Vollmachten nach Moskau kam, um mit der sowjetischen Regierung über Milliardenkredite zu sprechen. Die Sowjets waren es auch bei ihren sonstigen Kontakten mit westlichen Staaten nicht gewohnt, Privatpersonen mit – wie sie meinten – solch einem Auftrag gegenüberzusitzen, ohne daß ein staatlicher Vertreter zugegen war. Meine jahrelangen Versuche, den Sowjets die Unterschiedlichkeit unserer Systeme auch auf meinem spezifischen Feld klarzumachen, sind, so fürchte ich, letztlich vergebens geblieben. Zu verschieden war ihre Vorstellungswelt. Sie war von der Allzuständigkeit des Staates geprägt.

Von den übrigen westlichen Verhandlungsdelegationen unterschieden wir Deutschen uns auch in anderer Hinsicht. Im Gegensatz zu fast allen westlichen Staaten wurde seitens der Bundesregierung keinerlei Zinssubvention geleistet. Mehrfach ist von Moskau gedrängt worden, auch wir sollten durch den Einsatz von Budgetmitteln die den Sowjets aufzuerlegenden Zinskosten ermäßigen. In Bonn wurde darüber diskutiert, und zwar nicht nur ablehnend. Ich habe dringend von einem Nachgeben abgeraten, weil zu befürchten stand, daß, hätte man das Prinzip einmal durchbrochen, die Forderungen unserer Moskauer Partner in diese Richtung nicht mehr zu begrenzen gewesen wären. Ich befürchtete außerdem, daß die Kosten- und die Verhandlungsdisziplin dadurch allzusehr gelockert werden könnten. Auch Vertreter anderer RGW-Staaten hatten sich schon mit ähnlichen Ansinnen an mich gewandt. Ein polnischer Vertreter meinte gar, dem »big brother« in Moskau werde ohnehin zuviel Entgegenkommen gewährt. Hätten wir in der

Frage der Zinssubvention Anfang der siebziger Jahre nachgegeben, so wäre – es läßt sich leicht errechnen – ein schwerwiegendes Präjudiz zu unseren Lasten geschaffen worden. Trotz dieses Handikaps gegenüber dem sowjetischen Partner im Vergleich mit anderen westlichen Verhandlungsdelegationen, die wie selbstverständlich zinssubventionierte Kredite anboten, hat die bundesdeutsche Industrie in der Siebziger- und Achtziger-Dekade die umfangreichsten Abschlüsse tätigen können.

Im übrigen hätten Zinssubventionen naturgemäß dazu geführt, daß der Staat – das jeweilige Wirtschafts- oder Finanzministerium, das Auswärtige Amt oder auch die Zentralbank – wenn schon nicht direkt verhandelt hätte, so doch in der Verhandlungsrunde anwesend gewesen wäre. Ich wiederhole: Dies war auf unserer Seite nicht der Fall, weder bei der ersten Runde 1969/70 noch später. Selbstverständlich habe ich aber die jeweilige Bundesregierung von meinen Eindrücken und vom Ergebnis unterrichtet.

Aufgrund der Fehleinschätzung auf sowjetischer Seite ergaben sich für mich zuweilen heikle Situationen. Dazu ein Beispiel, das allerdings nur im historischen Kontext zu verstehen ist: Am 12. August 1970 war mit den Sowjets der sogenannte »Moskauer Vertrag«, unterschrieben von Bundeskanzler Brandt und Parteichef Breschnew, zustande gekommen. Er hatte naturgemäß auch seine Bedeutung für kommerzielle Verhandlungen. Bei allen meinen Kreditgesprächen mit den Sowjets war bis zuletzt immer der wundeste Punkt die Klausel über die Zinskonditionen gewesen, was bei den verhandelten Größenordnungen nicht weiter verwunderlich war. Aber gerade hier war es immer besonders schwierig, sowjetisches Mißtrauen hinsichtlich meiner Haltung auszuräumen, zumal damals noch die weitverbreitete Meinung galt, daß die Kapitalisten – und für sie war ich ein waschechter Repräsentant dieser verdächtigen Gattung – einen braven, idealistisch denkenden Kommunisten nur über den Tisch ziehen wollten.

Als ich 1972 – diesmal im sowjetischen Außenhandelsministerium – wieder einmal einer großen sowjetischen Delegation mit dem Stellvertreter Herrn Patolitschews, Nikolaj D. Komarow, an der Spitze gegenübersaß, drängte dieser immer wieder nachdrücklich darauf, daß der von mir genannte Zinssatz deutlich gesenkt werden müsse. Wir haben sehr hart verhandelt, bis zur letzten Ausschöpfung meiner Möglichkeiten. Wiederholte Male sagte mir Herr Komarow: »Christians, geben Sie doch nach, sonst boykottieren Sie den zwischen unserem Generalsekretär und Ihrem Kanzler ausgehandelten Vertrag. Ich werde mich gezwungen sehen, über Ihre Hartnäckigkeit Herrn Brandt zu berichten.« Ich antwortete höflich, aber unerschütterlich: »Herr Komarow, natürlich respektiere ich diesen Vertrag. Aber was wir hier verhandeln, steht nicht in der Verantwortung meiner Regierung. Ich bin kein Vertreter der Regierung und damit auch nicht weisungsgebunden durch den Bundeskanzler. Ich muß meine eigene Verantwortung wahrnehmen, die ich ja nun mehrfach ausdrücklich erläutert habe.« Als er weiter in mich drang und schon beinahe unhöflich wurde, sagte ich ihm schließlich: »Herr Komarow, es tut mir leid, aber ich kann nicht mehr tun, als gegebenenfalls mit neuen Worten dieselben Konditionen vorzutragen. Weiter nachgeben kann ich nicht.

Bei uns sagt ein Sprichwort: ›Nur ein Schelm verspricht mehr, als er hat.‹«

Kaum hatte ich geendet, sprang mein Gegenüber auf, zeigte ein böses Gesicht und fuhr mich an: »So, Christians, jetzt haben Sie eine Geschichte erzählt, die war kurz; jetzt werde ich Ihnen auch eine erzählen, die ist aber ein bißchen länger.« Und dann gab er seine Geschichte zum besten. Sie hatte im wesentlichen zum Inhalt, daß zur Zarenzeit ein Steuereintreiber nach Tiflis kommt, um einen Kaufmann nach seiner Steuerschuld zu befragen. Der Kaufmann antwortet umständlich und hinhaltend. Darauf schneidet der Steuereintreiber ihm das Wort ab und sagt: »Wenn du mir nicht mehr sagen kannst, wenn du mich nur hinhalten und mir dummes Zeug erzählen willst, dann schweig!«

Als Herr Komarow das gesagt hatte, war meine Geduld am Ende. Ich stand auf, ging um den Tisch herum und strebte der Tür zu. Komarow blickte mir verdutzt nach. Er war immerhin stellvertretender Außenhandelsminister und flankiert von hohen Vertretern der Ministerien und Banken. Als ich draußen war, kam er mir nach und reichte mir die Hand. Dann verließ ich wortlos das Ministerium. Die ganze Szene entbehrte bei allem Ernst des Verhandlungsgegenstandes nicht einer gewissen Komik.

Etwa zwei Stunden später, um die Mittagszeit, erhielt ich in meinem Hotel »Intourist« eine Nachricht aus dem Kreml. Sie kam vom stellvertretenden Ministerpräsidenten Wladimir N. Nowikow, der damals in der Regierung für die Verhandlungen mit der Bundesrepublik zuständig war. Ich kannte ihn als einen außerordentlich sympathischen, realistischen und im

Verhandeln fähigen und fairen Mann. Er ließ schriftlich bei mir anfragen, ob ich bereit wäre, am Nachmittag zu ihm in den Kreml zu kommen. Er werde mir seinen Wagen zum Hotel schicken. Ich bejahte, und so kam ich zum erstenmal in das weitläufige Allerheiligste der Sowjetmacht. Die Fahrt ging vorbei an vielen Sehenswürdigkeiten, den wundervollen Kirchen, der geborstenen großen Glocke aus der Zeit Iwans des Großen, in Richtung Regierungsviertel, das von Soldaten mit umgehängten Kalaschnikows bewacht wurde.

Ich betrat das Zimmer des stellvertretenden Ministerpräsidenten. Herr Nowikow erwartete mich stehend. Er war von riesiger Statur, hatte aber ein gutmütig offenes Gesicht. Er nahm meine Hand, zog mich an sich, fast wie ein Vater, und sagte begütigend: »So, Christians, jetzt setzen wir uns einmal hin und sprechen, so wie wir Sowjetbürger es tun, in aller Ruhe über die Beziehungen unserer beiden Länder zueinander.«

Unser Gespräch dauerte sehr lange und wurde sehr intensiv geführt. Für mich wurde es zu einem Schlüsselerlebnis, weil es genau das enthielt, was ich seit langem konzeptionell angestrebt hatte. Herr Nowikow und ich bemühten uns, zu einer für beide Seiten nützlichen Analyse über die Möglichkeiten einer Zusammenarbeit zwischen der rohstoffreichen großen Sowjetunion und der kleinen, aber hochindustrialisierten Bundesrepublik zu kommen. Meine Vorstellung war schon damals, daß die Sowjetunion Rohstoffe und Halbfertigwaren an die Bundesrepublik liefern könnte, um im Gegenzug aus der Bundesrepublik Produkte und Verfahren zu beziehen, die sie benötigt, um ihre vielfachen Ressourcen auszuschöpfen. Wir kamen in der Tat zu einer sehr weitgehenden Angleichung unserer Standpunkte. Daß es ein weites Feld der Zusammenarbeit geben würde, war uns beiden klar. In der Praxis dauerte es indes noch sehr lange, bis beide Partner die vorhandenen Chancen wirklich zu nutzen versuchten. Auch heute noch stehen wir erst am Anfang, obwohl seither siebzehn Jahre verstrichen sind.

So endete dieser Tag, der so unerfreulich begonnen hatte, dank Herrn Nowikows mutigem Konzept und gewinnenden Umgangsformen mit einem versöhnlichen Ausklang. Der stellvertretende Ministerpräsident verstand es, die richtige Tonart anzuschlagen, um seine Gesprächspartner von vornherein ins Vertrauen zu ziehen. Er schuf sich dadurch eine besondere Reputation, nicht nur bei mir, sondern auch bei vielen anderen deutschen Verhandlungspartnern, und lieferte den Beweis, daß selbst in einem derartigen rigiden und verkrusteten System die Einzelpersönlichkeit nicht ohne Wirkung ist.

Erste Spuren neuen Denkens

Dem ersten großen Geschäft des Winters 1969/70 folgten wenige Jahre danach weitere. 1975 kam dann ein Großabschluß über die Lieferung von luftgekühlten Lastkraftwagen der Firma Magirus, damals noch eine KHD-Tochter, hinzu. Wiederum hatte die Deutsche Bank das Geschäft vorfinanziert. Diese Lkw wurden benötigt zum Bau der berühmten Baikal-Amur-Magistrale (BAM), der Eisenbahnlinie parallel zur Transsibirischen Bahn, die den Sowjets die Erschließung der sibirischen Vorkommen erleichtern sollte, sicherlich aber auch strategischen Erfordernissen diente. Ein Bau, der sich unter extrem schwierigen Witterungsbedingungen vollzog. Die deutschen Magirus waren hierfür bestens geeignet und in der Sowjetunion ihrer robusten Beschaffenheit und Zuverlässigkeit wegen bekannt.

Natürlich erregten unsere Geschäfte mit der Sowjetunion, die ja nicht geheim blieben und auch gar nicht geheimgehalten werden sollten, Skepsis, Mißtrauen, vielleicht sogar einen gewissen Neid bei unseren westlichen Partnern und eine ausgesprochen kritische Beurteilung bei der US-Administration. Hierauf werde ich noch ausführlich zu sprechen kommen. Deutlicher als zuvor drückte sich das bei dem großen sogenannten Jamal-Pipeline-Geschäft aus, welches zwischen 1979 und 1982 verhandelt wurde und an dem mehrere westeuropäische Länder beteiligt waren. Die USA unter Führung von Außenminister Haig bezogen mit harten Vorwürfen gegen diesen multilateralen Vertrag Position. Maßgebliche amerikanische Zeitungen begleiteten den Dialog mit nicht selten wenig freundlichen Kommentaren. Der Hauptvorwurf bestand darin, die Bundesrepublik, aber auch andere westliche Bezieherländer würden sich in ihrer Primärenergie-Versorgung mit sowjetischem Erdgas zu sehr von der Sowjetunion abhängig machen, was in angespannten Zeiten zu politischen Pressionen führen könne. Zum anderen würde durch die Bezahlung in West-Devisen die sowjetische Kriegskasse aufgefüllt.

Solchen Vorwürfen gegenüber war die Bundesregierung, zu einem Teil auch die deutsche Öffentlichkeit, nicht ganz unempfindlich. Schließlich hatten wir, was die Abhängigkeit in der Energieversorgung angeht, während der Ölkrisen von 1973 und 1978 unsere Erfahrungen gemacht. Die strategische Ausrichtung der Energiepolitik der Bundesregierung bestand nach 1978 im Kern darin, die bisher gegebene Vorzugsversorgung aus den arabischen Golfstaaten durch die Diversifizierung der Primärenergie-Arten wie Kohle und Gas, aber auch durch Einschaltung weiterer Nicht-OPEC-Länder zu reduzieren. Zwischen der Bundesregierung unter Kanzler Helmut Schmidt und der betreffenden deutschen Industrie – dem Gasabnahme-Partner, dem Rohrlieferanten und den finanzierenden Banken – kam es zu einer informellen Absprache. Danach sollte die Begrenzung darin gefunden werden, daß die sowjetische Gaslieferung nicht mehr als fünf Prozent des gesamten Primärenergiebedarfs bzw. nicht mehr als dreißig Prozent des gesamten Erdgasbedarfs decken dürfe. Für die Erreichung dieses oberen Limits wurde ein Zeitraum bis Ende der achtziger Jahre angepeilt. Die tatsächliche Entwicklung ist dann auch in diese Richtung gegangen.

Trotz dieser nüchtern kalkulierten, aus der Sicht der Bundesregierung vertretbaren begrenzten Versorgung hat die kritische Begleitmusik aus den USA das Zustandekommen des Jamal-Pipeline-Vertrags erheblich erschwert. Und die Amerikaner waren in ihrer Skepsis nicht allein. Nicht wenige Politiker in Bonn und auch Vertreter der Wirtschaft teilten ihre Bedenken. Meine Bank als Konsortialführerin wurde zunehmend kritisch betrachtet, aber auch ich selbst. Vereinzelt zogen sich sogar Banken aus dem Konsortialkreis zurück. Befremdend wirkte auf mich in jener Zeit vor allem, daß trotz der nach außen massiven Kritik an meinem Vorgehen bei mir angefragt wurde, ob ich mich angesichts des bei mir vermuteten guten Verhältnisses zu Moskau im Interesse des einen oder anderen hochrangigen Politikers für einen Besuchstermin in der sowjetischen Hauptstadt verwenden könnte. Auch habe ich erfahren – und dies war kein Einzelfall –, wie manche Bank, die sich in der geschilderten Lage vom Konsortialvorhaben distanziert hatte, schnell wieder mit von der Partie war, wenn sich die dunklen Wolken über der Szene verzogen hatten.

Wie sehr diese Spannungen das allgemeine Klima belasteten, mag ein für diese Zeit typischer Vorgang erhellen. In der Sowjetregierung hatte der stellvertretende Ministerpräsident Leonid Kostandow die Nachfolge des für die Bundesrepublik zuständigen Herrn Nowikow übernommen. Kostandow war von Haus aus Chemiker und früher in der chemischen Industrie der UdSSR tätig gewesen. Schon von daher trat er besonders für eine deutsch-sowjetische Zusammenarbeit in der Chemieindustrie sowie in der Energiewirtschaft mit Kohle, Gas und Öl ein. Im Juni 1982 war er zu Verhandlungen in der Bundesrepublik und zu Gesprächen in Bonn angesagt. Mehrere Termine waren vereinbart worden; auch ich hatte eine Verabredung mit ihm getroffen. Als ich Kostandow aufsuchte, erschien er mir einigermaßen bedrückt, was mich bei seinem Naturell – er war aufgeschlossen, geradezu begeisterungsfähig und ein ausgesprochen freundlicher Mensch – sehr verwunderte. Den Grund für diese Stimmungslage sollte ich bald erfahren. In Bonn, so berichtete mir Kostandow, habe er kaum Gehör gefunden; er sei sogar auf verschlossene Türen gestoßen, wo sie ihm früher offengestanden hätten. Er könne sich das nur mit der harschen amerikanischen Kritik erklären. Vielleicht spiele dabei auch der Weltwirtschaftsgipfel in Paris eine Rolle, der gerade zu diesem Zeitpunkt stattfand und bei dem auch das Thema Energieversorgung auf der Tagesordnung stand. Kostandows Eindruck war, daß die Regierung in Bonn mit großem Troß eilig dabei war, der Einladung von Präsident Mitterrand zu einer Gala im Schloß von Versailles zu folgen, und daher weder Zeit noch Interesse für ihn aufbrachte. Er war sichtlich froh, daß ich ihm zur Verfügung stand. Ich hatte aber auch keine Einladung für Versailles.

In meiner Eigenschaft als privater, rein kommerziell auftretender Unterhändler war ich wieder einmal in den komplizierten politischen Kontext des west-östlichen Spannungsfeldes geraten. Die Sowjets erwarteten von mir Stellungnahmen in Fragen, die mit meinem Auftrag unmittelbar nichts zu tun hatten. Daß dies so war, läßt sich leicht erklären. Meine Partner hatten sich durch den jahrelangen, fast ununterbrochenen Kontakt an meine Präsenz gewöhnt, sei es in Moskau, sei es bei ihren häufigen Reisen zu uns in den Westen, die wegen der damit verbundenen Annehmlichkeiten bei ihnen immer beliebter wurden. Es hatte sich allmählich ein Vertrauensverhältnis zwischen uns entwickelt.

Das war im Anfang keineswegs so. Ende der sechziger Jahre waren beide Seiten noch sehr befangen. Auf sowjetischer Seite war oft Feindseligkeit zu spüren gewesen. Aber der Kreis, der nun einmal kraft Auftrags verpflichtet war, miteinander auszukommen, erreichte nach einer gewissen Zeit den Punkt, an dem sich, bei aller verbleibenden Skepsis, schon in den siebziger Jahren eine lockerere Verhaltensweise herausbildete. Die Verkrustungen der ersten Jahre brachen auf, man kannte sich und schätzte sich zuweilen auch menschlich. Dabei war es für die Sowjets naheliegend, mich – mehr als mir lieb sein konnte – mit politischen Fragen zu konfrontieren. Auch Verdächtigungen, ja Vorwürfe blieben nicht aus. Es mag den Sowjets bequem erschienen sein, mich, sozusagen stellvertretend für die deutsche Politik, in Probleme zu verwickeln, über die ich offiziell und politisch nicht sprechen konnte und wollte. Wenn sie ihren Ärger über die Deutschen in der Bundesrepublik loswerden wollten, mußte oft genug ich dafür herhalten, und ich stand ihnen ja im allgemeinen auch zur Verfügung.

Im Frühjahr 1973 habe ich der Bundesregierung davon berichtet und mit verschiedenen Ministern über die Philosophie diskutiert, die ich mir für mein Verhalten auf dem schwierigen Moskauer Terrain zurechtgelegt hatte. Ich war der Meinung – und bin es bis heute –, den Sowjets sollte erklärt werden, daß die Bundesrepublik Deutschland nicht gewillt sei, im Zwielicht zu stehen; daß sie vielmehr als Partner der Westbündnisse anzusehen sei, dessen politische Ausrichtung unwandelbar und dessen Grundausrichtung unbeeinflußbar wären. Daraus folgert: Die Bundesrepublik ist und bleibt ein zuverlässiges Mitglied der NATO und der EG.

Ich gab der Bundesregierung zu verstehen, daß dies den Sowjets nicht von mir, der ich dazu nicht befugt war, sondern von der politischen Instanz klarzumachen sei. Wenn dies im Kreml ein für allemal als unumstößlich erkannt sei, so meinte ich, dann hätten wir alle eine nüchterne, gegenseitig abgesicherte Basis für weitreichende kommerzielle Abmachungen, auch im Hinblick auf eine intensivere Zusammenarbeit. Auch die leidige Frage der Zinssubvention, die mir hartnäkkig immer wieder gestellt wurde, bat ich in Bonn zu entscheiden. Das Votum war, wie oben schon begründet, eindeutig negativ. Soweit ich erkennen konnte, war die Meinungsbildung im Kabinett nicht einheitlich; die finanz- und wirtschaftspolitisch Verantwortlichen neigten aber sichtlich meiner Haltung zu.

Es gab eine weitere Schwierigkeit im gegenseitigen Verständnis, der wir zu Leibe rücken mußten. Sie resultierte aus der grundsätzlichen Verschiedenheit unserer politischen Systeme: hier eine liberale, weitgehend von Privatinitiative geprägte Wirtschaft, dort ein streng geregeltes zentralistisches Planungssystem. Die sowjetischen Delegierten handelten im Auftrag staatlicher Instanzen. Sie hatten nach Maßgabe des jeweiligen Fünfjahresplans dessen Zielsetzung und ihren eng limitierten Auftrag zu berücksichtigen.

Schnell wurde uns klar, daß wir uns näher mit dem sowjetischen System befassen mußten, um unsere Gesprächspartner richtig einzuschätzen, das heißt, ihre immer wieder irritierenden Reaktionen und ihre Denkweise zu verstehen. Wir machten uns also mit dem Fünfjahresplan-Denken und -Handeln vertraut.

In der Sowjetunion wird der Leistungsnachweis, wenn der Ausdruck »Leistung« überhaupt zutreffend ist, in erster Linie durch Erreichen des vorgegebenen Nominalziels erbracht, wobei die Qualität eine Nebenrolle spielt. Da die Verwendung der Produkte auf dem Zuteilungswege erfolgt, gibt es zwar gelegentlich Beanstandungen, aber kein Korrektiv in puncto »Qualität« auf der Abnehmerseite. Für den einzelnen zählt die quotale »Leistung« bzw. deren Bestätigung durch Eintrag ins Formular. Diese Art von Normerfüllung bestimmt das Denken und Handeln aller im Produktionsprozeß, bis hinauf zum Chef. Wichtig ist vor allem, nicht aufzufallen. Hierzu ist selbstverständlich gegenseitige Hilfestellung vonnöten. Von da an führt der Weg direkt in die Korruption.

Michail Gorbatschow hat das nicht nur erkannt, sondern auch schonungslos ausgesprochen: Wenn die sowjetische Wirtschaft den Anschluß an die Ansprüche der Weltwirtschaft finden will, so argumentiert er, muß die Planung auf größere Zeitabschnitte – mindestens zehn Jahre – angelegt sein; außerdem fordert er neben Quantität auch Qualität.

Um das durchzusetzen, müssen Widerstände gebrochen und Unbequemlichkeiten verordnet werden. Bei den für die Erreichung der Fünfjahresplan-Ziele Verantwortlichen hat sich eine Verhaltensweise eingestellt, die dem Qualitätsdenken diametral entgegengesetzt ist. Sie ist ganz eindeutig davon geprägt, durch vertikale, auf den eigenen eng begrenzten Zuständigkeitsbereich zugeschnittene Abläufe den nominellen und damit nachweisbaren Erfolg herbeizuführen. Dies hatte zur Folge, daß ein egoistisches Abteilungsdenken, auch in den Ministerien, geradezu belohnt wurde. Eine Art »Röhrenmentalität« hat sich gebildet, die für den einzelnen bedeutet: durch die enge Röhre des eigenen Bereichs auf das chiffrierte Ziel zu starren, ohne sich darum zu kümmern, was rechts und links geschieht; keinerlei Einbindung in horizontaler Dimension, etwa in die Aktivitäten von Nachbarabteilungen oder Nachbarministerien.

Zu diesem über Jahrzehnte hin geradezu gezüchteten Denken tragen die vielen Branchenministerien bei, von denen es schier unzählige gibt. Es ist mir weder gelungen, deren genaue Zahl noch ihre konkrete Aufgabenstellung in Erfahrung zu bringen. Da es sich um eine zentralistische Verwaltungswirtschaft handelt, ist eine jeweilige administrative, oberste staatliche Entscheidungs- und Koordinierungsstelle durchaus vonnöten. Aber hier wird das System geradezu zu Tode geritten. Eine Inflation von Ministern zuzüglich stellvertretender Minister betreibt einen immensen Aufwand, vertritt egoistisch die eigene Kompetenz und läßt prinzipiell keinerlei Spielraum für sachgemäße und flexible Anpassung und Entscheidung vor Ort zu in diesem weiten Land. Das Resultat ist eine gigantische Ineffizienz, deren Nutznießer einzig die über siebzehn Millionen beamteten Funktionäre sind, die allen Grund haben, ihre Sinekure – sie besteht auf Lebenszeit – zu verteidigen. Die meisten der hier Tätigen sind erst in der Breschnew-Ära ernannt worden, das heißt, sie sind im mittleren Alter und noch weit von der Pensionsgrenze entfernt. Dies bedeutet eine Hypothek, die abzutragen, ohne Unruhe zu erzeugen, kaum möglich erscheint.

Gerechterweise muß ich sagen, daß auch bei uns die Gefahr einer vertikalen Denkweise, der Röhrenmentalität, vorhanden ist, etwa in der öffentlichen Verwaltung oder in der Zentralverwaltung großer Konzerne, wenn auch nicht entfernt im gleichen Umfang wie bei sowjetischen Behörden. Wir haben bei den Sowjets immer wieder bemerkt, daß trotz zentralistischer, einheitlich vorgegebener Produktionsplanung kaum ein Austausch stattfindet und es schon deshalb kein koordiniertes Verhalten geben kann. Dies wiederum bewirkt, daß der Kraft- und Energieeinsatz zum Erreichen des Ziels nicht gemeinsam abgestimmt und durchgeführt wird. Die Aktionsrichtungen laufen oft völlig beziehungslos nebeneinander her; ja, sie behindern sich oft gegenseitig, anstatt die Effizienz zu erhöhen. Leerlauf ist die Folge.

Auch dies haben wir erfahren müssen, mit der Konsequenz, daß häufig Dinge mit der Bundesrepublik – als Partner mehrerer Ministerien und untergeordneter Institutionen in Moskau – abgestimmt wurden, die vorher auf sowjetischer Seite nicht im »horizontalen Verbund« geklärt worden waren. Wir wußten zwar meist, worum es im Einzelfall ging, und wir konnten auch einschätzen, wer auf sowjetischer Seite mit einzubeziehen sei, aber die Koordination in der sowjetischen Administration fand nun einmal nicht immer statt. Und so gab es mancherlei unerwartete Schwierigkeiten oder Vorbehalte. Zuweilen haben wir uns als durchaus erwünschte Helfer in der Not eingeschaltet und – im Billard sagt man dazu: über die Bande – unauffällig zum Erreichen des gemeinsamen Ziels beitragen können.

Das klingt zwar alles sehr umständlich, war aber ein pragmatischer Weg, um aus den Schwierigkeiten herauszukommen. Inzwischen beginnen die Dinge sich zu ändern. Freilich, wenn heute versucht wird, die zentralistische Planung und Durchführung sowie die Zuweisung von nationalen Ressourcen zugunsten einer mehr dezentralen Kompetenzverteilung zu reformieren, so ist das geforderte neue Denken doch zu ungewohnt, um eine rasche Verhaltensänderung zu bewirken. Es ist nicht nur ungewohnt, es überfordert auch den im bisherigen System Handelnden. Er muß jetzt aufgrund eigener Einsicht entscheiden, hier und da vom formulierten Plan sogar abweichen. Gerade das war aber bisher völlig undenkbar. Ja, es führte eher zum harten Vorwurf des Boykotts und zur Bestrafung, als daß es etwa lobend erwähnt oder mit einer Beförderung belohnt worden wäre, wo einer verantwortlich gedacht und gehandelt hatte.

Das Plansystem ist aber auch in der UdSSR selbst in den vergangenen Jahrzehnten oft kritisiert worden. Wie, so durfte etwa unter Chruschtschow und Kossygin gefragt werden, könne man durch Delegierung von Verantwortung und Kompetenz eine höhere Effizienz erzielen? In den achtziger Jahren machte schließlich Andropow entsprechende Versuche.

Jurij Andropow wurde 1983, nach dem Tode Breschnews, Generalsekretär der KPdSU. Ich erinnere mich sehr deutlich, wie mit Andropows Amtsantritt ein neuer, frischer Wind durch die Moskauer Administration ging. Bis dahin hatten wir immer den Eindruck, uns Leuten gegenüber zu befinden, die wie Insassen eines schlecht gelüfteten, stickigen Zimmers trübe und phlegmatisch vor sich hin dösten und keinerlei Initiative oder Freude an der Arbeit aufbrachten. Nun wurden mit einemmal die Fenster weit geöffnet, und es war fast mit Händen zu greifen, wie die Insassen sich belebten, wie sie aufgeschlossener wurden und plötzlich den Mut aufbrachten, die Zustände kritisch zu sehen und nach Besserung zu suchen.

Die ersten Anzeichen dieses Luftzuges teilten sich uns im Frühjahr 1983 mit. Wir hatten eine Sitzung mit leitenden Herren des Gosplan, den einflußreichen Gestaltern des bis dato zentralistischen Wirtschaftsplans. Wieder einmal wurde das Thema »Dezentralisation der Verantwortung« variiert. Diesmal, so hörten wir, ging die Anregung direkt von Generalsekretär Andropow aus. Dieser hatte dazu eine akademische Studie aus Nowosibirsk vorgelegt, die alle Merkmale einer wissenschaftlichen Arbeit trug; wohlgemerkt wissenschaftlich, politisch daher zunächst nicht einzustufen. Später rätselten wir, ob Andropow da einen Versuchsballon losgelassen hatte.

Bei dieser Besprechung fragte ich den stellvertretenden Chef des Gosplan namens Inosemzew, was es mit dieser akademischen Studie auf sich habe. Er bestätigte mir in Anwesenheit seiner engeren Mitarbeiter, diese Anregung komme von höchster Stelle. Inosemzew fügte hinzu, bei der Ausdehnung der Sowjetunion, den enormen Entfernungen und den unterschiedlichen Aktionsbereichen sei es ja wohl richtig, sich Gedanken über eine Reform des zentralistischen Systems zu machen. Er fragte mich, wie meine Meinung dazu sei.

Ich erinnere noch einmal daran, daß wir im Umgang miteinander uns längst daran gewöhnt hatten, locker und konkret zu diskutieren und die Dinge beim Namen zu nennen. So antwortete ich, daß ich diesem Ansatz nur zustimmen könnte. Schon bei einer übersichtlichen Wirtschaft und einem geographisch kleinen Gebilde wie der Bundesrepublik sei es schwierig, den Überblick zu behalten. Wie sehr müsse das für die riesige Sowjetunion mit ihren 285 Millionen Einwohnern gelten, mit großen unterschiedlichen Industriebereichen, Entwicklungsgebieten und laufend sich ändernden Bedingungen. Wenn den neuen Ideen stattgegeben werden sollte, wenn nun in einem mehr dezentralen System auch Kompetenz und Entscheidungsbefugnisse vor Ort delegiert würden, so könne das dem besseren Funktionieren der Wirtschaft durch Abbau der Bürokratie nur guttun.

»Das wird nach meiner Ansicht allerdings bedeuten«, fügte ich hinzu, »daß Sie sich hier eine geistige Atombombe unter den Schreibtisch legen.«

Allgemeines Erstaunen bei meinen Gesprächspartnern. Was ich wohl damit meinte, wollten sie wissen. Und ich erläuterte es ihnen. Wenn ich in all den Jahren eines gelernt habe, dann sicherlich das: Zentralistische Planung führt dazu, die handelnden Personen streng auf die Einhaltung der Planungen und Normvorgaben zu verpflichten. Ein Abweichen vom Auftrag wird nicht nur nicht geübt und praktiziert, sondern eigenverantwortliches Handeln ist formell verboten. Wenn jetzt aber Verantwortung delegiert wird, wenn Entscheidungskompetenzen durch Dezentralisierung verlagert werden, dann ist eigenes Nachdenken, dann sind kritische Folgerungen unausbleiblich. Das kann man nicht verkürzen auf bestimmte Bereiche und begrenzte Tätigkeiten. Und das gilt dann auch nicht nur für die Funktionäre, sondern für alle Menschen im weiten Produktionsprozeß. Sie müssen plötzlich alle mitdenken, mitentscheiden, von dem vorgegebenen Planverhalten abweichen, um produktiver zu werden. Und das wäre eine Erziehung auf einen Weg hin, den meiner Einschätzung nach das Sowjetsystem bisher nicht zugelassen und nicht für richtig gehalten hat. Wenn dies jetzt in dem aufgezeigten Sinne geändert werden solle, sei damit unausweichlich eine Änderung des sowjetischen Systems verbunden: mit fundamental neuer Ausrichtung, bei der wir von vornherein nicht einschätzen könnten, zu welchen Konsequenzen, auch in gesellschaftlicher Hinsicht, dies letztendlich führe. »Daher meine Bemerkung von der ›geistigen Atombombe‹ unter Ihrem Schreibtisch.«* Ich sah in nachdenkliche Gesichter.

Das System des eigenen Nachdenkens, des eigenen Handelns, ohne auf Weisungen aus Moskau zu warten, hat Michail Gorbatschow knapp vier Jahre nach Andropow selber propagiert. Am 1. Oktober 1987 ging er in einer programmatischen Rede in Murmansk vor der Arbeiterschaft und der Führungselite der

* Die Bombe sollte schon 1989 hochgehen; allerdings nicht in der Sowjetunion, sondern in China, das durch eine einseitige und einäugige Liberalisierung seiner Wirtschaft eine unkontrollierbare gesellschaftspolitische Kettenreaktion ausgelöst hat.

Halbinsel Kola darauf ein. »Wartet nicht auf Befehle aus Moskau«, rief er seiner Zuhörerschaft zu, »Moskau ist weit! Wenn ihr seht, was hier not tut, wenn ihr seht, wie das gesetzte Ziel am besten erreicht werden kann, handelt. Handelt aus eigener Verantwortung!«

Einen nennenswerten Fortschritt in dieser Richtung habe ich im Wirtschaftsapparat bisher nicht beobachten können. Aber es gibt offene Diskussionen in Zeitungen, Magazinen, im Radio und im Fernsehen über das »neue Denken«, deren Umfang mich überrascht hat. Selbst sowjetische Gesprächspartner, von denen ich seit Jahren weiß, wie gut sie informiert sind, die neugierig und im Gespräch keineswegs zurückhaltend sind, bekennen freimütig, daß sie keinen halbwegs zuverlässigen Überblick über die sich vollziehenden Veränderungen mehr haben. Für den ausländischen Beobachter ist es schlicht faszinierend, beobachten zu können, wie ein bislang eher quietistisches Gesellschaftssystem von der Dynamik und vom Willen erfüllt wird, fast artfremde Aufgaben und Gestaltungen anzupacken.

Dafür ein Beispiel: Im März 1989 fand in Bonn das erste sogenannte Deutsch-Sowjetische Forum statt, das nun im Zweijahres-Rhythmus generelle Fragen der Zusammenarbeit auf den verschiedensten Gebieten – von der Abrüstung bis zu Kirchenfragen, der Behandlung sowjet-russischer Bürger deutscher Herkunft, vor allem aber ökonomische und ökologische Probleme – erörtern soll. Hochrangige Fachleute, zumeist Wissenschaftler und Mitglieder der »Akademie der Wissenschaften«, haben daran teilgenommen, mit dem klaren Auftrag, wissenschaftlich fundiert Konzepte und Vorschläge für die Regierungsarbeit sowie

Verhaltensnormen für die praktische Durchführung zu entwerfen.

Auf unsere Frage nach dem denkbaren künftigen Wirtschafts- und Gesellschaftssystem der UdSSR wurde geantwortet: »Wir wollen eine ›sozialistische Marktwirtschaft‹. Von der Ausrichtung auf den Markt erhoffen wir uns ein Eingehen auf die Bedürfnisse der Konsumenten. Wir erwarten, Erfahrungen mit dem Wettbewerb machen zu können, mit Leistungsorientierung, Innovationsfähigkeit, Steigerung von individueller Verantwortungsbereitschaft, von Qualitäts- und Kostenbewußtsein.« Das Adjektiv »sozialistisch« bedeute, daß man die bisherigen humanitären Errungenschaften des Systems nicht über Bord werfen könne.

In diesem Zusammenhang wies ich darauf hin, daß ja gerade die »soziale Marktwirtschaft« dies zum Ziele habe und an vielen Beispielen deutlich machen könne, wie sehr sie zum Wohle des Bürgers bzw. des Konsumenten die von der »sozialistischen Marktwirtschaft« erwarteten humanitären Errungenschaften zu erreichen in der Lage sei. Hier liegt zugegebenermaßen die Hemmschwelle, die lange verteufelten Vorteile des »Kapitalismus« zu akzeptieren. So erläuterte mir der kluge Direktor der Akademie der Wissenschaften, Jurij Andrejew, man akzeptiere jetzt den »Markt« als »zivilisatorisches« Produkt. Man kann oder – genauer – will noch nicht sehen, daß »Markt« nicht nur das Instrument einer effizienten Wirtschaftsordnung, sondern fast zwangsläufig *die* wirtschaftliche Organisationsform ist, die sich freie und mündige Bürger geben. Aber immerhin hilft die Dialektik über ideologische Befangenheiten aus der Vergangenheit hinweg.

Die kühne Konstruktion unserer Gesprächspartner, so bestechend sie vorgetragen war, läßt natürlich Unvereinbarkeiten erkennen, die den inneren Widerspruch hervorheben. So ist die zentrale Frage nach dem Eigentum nicht schlüssig beantwortet. Immerhin wurde eingeräumt, daß in etwa 25 Jahren das angestrebte System mehr dem schwedischen als unserem, dem bundesdeutschen Modell entsprechen würde. Beeindruckt aber hat uns, mit welchem Ernst und Nachdruck die aufgeschlossenen Kräfte in Politik und Wissenschaft das »neue Denken« aus dem Bereich bloßer Ideen und unverbindlicher Forderungen wegzubringen und in konkret machbare Politik umzusetzen suchten.

Dies wird auch in Währungsfragen deutlich – dem vielleicht schwierigsten und anspruchsvollsten Reformvorhaben, dem sich die sowjetischen Umdenker gegenübersehen. Die Währung eines Landes, ihr Preis und ihre Bedeutung auf den internationalen Finanzmärkten spielen eine große Rolle für das Selbstwertgefühl einer Nation und einer Regierung. Der US-Dollar war noch Jahrzehnte nach dem Zweiten Weltkrieg als *der* Weltwertmaßstab allgemein anerkannt – auch von den Sowjets, wenn auch ohne Begeisterung und ohne ausdrückliche Bestätigung. Die Region aber, in der, kraft des politischen und militärischen Gewichts der Sowjetunion, ein »transferabler Rubel« Geltung besitzt, reicht immerhin von der Mongolei bis Kuba, und sie deckt den Bereich des COMECON ab.

Inwieweit das jeweilige Tauschverhältnis zu den nationalen Währungen dieser großen Region mit über 380 Millionen Einwohnern dem tatsächlichen Wertverhältnis entspricht, ist schwer zu beurteilen. Der Außenwert eines sogenannten »transferablen Rubels« läßt sich schließlich administrativ bestimmen – und damit ein beliebiges Austauschverhältnis in der Abrechnung mit dem wichtigsten Handelspartner Sowjetunion. Es gehört nicht viel Phantasie dazu, sich vorzustellen, daß die östliche Führungsmacht Sowjetunion sich ihren Export in die übrigen COMECON-Länder bei der Festsetzung des Kurses für den »transferablen Rubel« und umgekehrt beim Import von COMECON-Gütern in die Sowjetunion so vorteilhaft wie möglich bezahlen läßt.

Bei meinen Gesprächen mit sowjetischen Partnern, seien sie von der Bank- oder der Einkaufsseite, letztere vertreten vornehmlich durch das Außenhandelsministerium, wurde mir sehr schnell bewußt, wie sehr sie an der Entwicklung des Dollars und auch des Goldpreises interessiert waren. Vergessen wir nicht, daß die Sowjetunion neben Südafrika der größte Goldproduzent und -lieferant ist. So beeinflußt – wohl kaum ohne Abstimmung mit Südafrika – die Sowjetunion über ihre Bankvertretungen in Zürich, London und Singapur die Bewegung des Goldpreises, und zwar nicht nur durch Verkauf, sondern auch durch Kauf, um etwa Kurseinbrüche zu verhindern.

Wie sehr Dollar und Goldnotierung die Gemüter bewegten, konnte ich bei fast jeder meiner Reisen schon bald nach meiner Ankunft in Moskau ablesen. Noch im Auto, auf dem Weg zur Innenstadt, fragten mich meine Abholer intensivst nach den neuesten Entwicklungen.

In puncto Währung und Rubel änderte sich die Situation Anfang der siebziger Jahre entscheidend. Die

Amerikaner mußten erfahren, daß sie, vor allem durch die Lasten des Vietnamkrieges, die scheinbar unerschütterliche Bastion ihrer Währung geschwächt hatten. Präsident Nixon verfügte im August 1971, daß die Pflicht zur Golddeckung des Dollars aufgehoben wurde. Im Dezember desselben Jahres folgte das sogenannte »Smithsonian Agreement«, welches die Regeln von Bretton Woods, 1944 in dem kleinen Ort in New Hampshire von der UNO im Beisein von 44 Nationen festgelegt, aufhob und die Dollar-Notierung hinfort dem freien Spiel der Marktkräfte überließ. Die zentralen Notenbanken der wichtigsten westlichen Länder konnten von nun an kräftig mitmischen, das heißt intervenieren. Das Ergebnis der Entwicklung in den Jahren 1972/73 war, daß der Dollar am internationalen Markt zunehmend verlor, was in Moskau lebhaft begrüßt wurde. Hatte man dem Dollar bisher, auch nach eigener Einschätzung, eindeutig die Priorität gegenüber der eigenen Währung eingeräumt, so sah man sich jetzt in der Lage, durch einen einseitigen Akt, und zwar durch administrative Anordnung, den Preis des Rubels über dem des Dollars festzusetzen. Nach Marktbeeinflussung fragte in Moskau keiner.

Diese Entwicklung löste verständlicherweise eine spürbare Genugtuung aus. Als ich damals kurz nach der erstmaligen Höherbewertung des Rubels vor dem Hotel National ein Taxi bestieg, um eine längere Fahrt anzutreten, fragte ich den Fahrer nach dem Preis. Er forderte fünf Rubel oder einen Dollar. Am folgenden Tag konnte ich nicht umhin, dieses Erlebnis beim Gespräch in der Zentralbank zu erwähnen. Vielleicht war es nicht gerade rücksichtsvoll von mir, die frisch verspürte Freude meiner Partner über den neuen Rubelkurs solcherart zu dämpfen, aber das war nun mal die Realität. Wie in anderen Ländern auch repräsentierte der Taxifahrer den wahren Markt: 20 Cent für einen Rubel.

Dieses Wertverhältnis hat sich in den folgenden Jahren nicht wesentlich verändert. Aus welchen Gründen auch immer: Man hatte Vorbehalte gegen den Dollar. Die Deutsche Mark hatte in den Augen meiner sowjetischen Bankkollegen die aussichtsreichere Zukunft. Man suchte eben nach einer Alternativwährung. Sie wurde später im Ecu gesehen, sowenig bis heute bei dieser europäischen Verrechnungseinheit die wichtigsten Voraussetzungen für einen echten, das heißt eigenständigen Marktwert gegeben sind. Das Ziel der Sowjets bleibt die volle Konvertierbarkeit, also die volle Akzeptanz des Rubels durch die internationalen Finanzmärkte.

Auch hier wird ein fundamentales Umdenken sichtbar. Früher wurden zu jeder passenden Gelegenheit Ressentiments gegenüber den internationalen Finanzinstituten – wie Internationaler Währungsfonds und Weltbank – vorgebracht. Man wähnte sie fest in den Händen der Kapitalisten, insbesondere der Amerikaner, und verdächtigte sie, primär die Disziplinierung und Ausbeutung der Entwicklungs- und Schwellenländer zu verfolgen, sie in Abhängigkeit von den großen westlichen Industriestaaten zu halten. Im Zuge des neuen Denkens hat man heute die Bedeutung dieser gewichtigen Koordinationsorgane innerhalb ständig komplexer werdender Finanzmärkte auch in Moskau erkannt. Der ideologische Vorbehalt ist einer pragmatischen Nüchternheit gewichen.

»If you can't beat them, join them«, ist der eine, durchaus marxistische Teil dieses neuen Realitätsbewußtseins. Der zweite führt weiter: Die Sowjetunion hat erkannt, daß eine prosperierende ökonomische Autarkie im Reich des Kommunismus nicht zu verwirklichen ist. Die fortschreitende wirtschaftliche Verflechtung der Länder, die ständige Zunahme wechselseitiger Abhängigkeiten, kurz, die Globalisierung der ökonomischen – und politischen – Chancen wie Risiken haben einen Bewußtseinswandel in der Sowjetunion ausgelöst, der auf Annäherung an die internationalen Finanzmärkte und ihre Institutionen zielt. Natürlich hat auch die gewaltige Potenz dieser Märkte, auf denen täglich bis zu 300 Milliarden US-Dollar bewegt werden, sei es zur Devisen- und Kapitalbeschaffung oder aus schierer Spekulation, ihren Eindruck auf die ökonomischen Vordenker im Kreml nicht verfehlt.

Theoretisch haben diese die volle Konvertierbarkeit des Rubel als unverzichtbare Bedingung zum wirtschaftlichen Aufstieg seit langem vorgedacht. Darüber habe ich mit Bankiers, mit Angehörigen der Planungsbehörden oder mit Wissenschaftlern in Moskau immer wieder diskutiert. Wie intensiv sich sowjetische Experten damit beschäftigten, zeigte sich schon vor vielen Jahren: anläßlich einer Diskussion im Internationalen Wissenschafts-Institut, dem »Imemo«, welches man in Moskau das »Fenster zum Westen« nennt. Ich sprach über die allgemeine Währungssituation und war überrascht, wie gut unterrichtet die anwesenden Professoren und Studenten waren und zu welchen Einzelheiten sie ihre Fragen stellten. Hier gibt es tatsächlich eine Kaderschmiede für talentierte

I

Ansprache anläßlich der Unterzeichnung des ersten Gas-Röhren-Kredits, des sogenannten ıhrgas-Vertrags, am 1. Februar 1970 im Kaiserhof in Essen

2 Unterzeichnung des Vertrags über den Gas-Röhren-Kredit am 1. Februar 1970 in Essen
3 Verhandlungen mit der Gosbank (Staatsbank) in Moskau. Links: Präsident Alchimow un Vizepräsident Pekschew; gegenüber: F. W. Christians und Hilmar Kopper von der Deutschen Bank

4

5

Grundsteinlegung des Moskauer Repräsentanzgebäudes der Deutschen Bank am 18. März 1983. ıks von F. W. Christians: Politbüromitglied F. W. Promyslow, Oberbürgermeister der Stadt Mosu; rechts: Gosbank-Präsident Alchimow · 5 Verhandlungen im Außenhandelsministerium der ISSR. Von links: stv. Außenhandelsminister Iwanow, Ernst Taubner und Axel Lebahn von der ·utschen Bank, Außenhandelsmin. Patolitschew, F. W. Christians, Gosbank-Präsident Alchimow

6 Vor dem Kreml

und bestens ausgebildete Führungskräfte im künftigen internationalen Geschäft.

Die aktuellen Reformbemühungen in Moskau bringen auch kühne neue Ideen zutage. Von einem »Gold-Rubel« ist die Rede, der gegen Gold- und Rohstoffdeckung für besondere Zwecke, vor allem dem Ausland gegenüber, separat konvertibel gemacht werden soll. Dies ist nur ein Beispiel unter vielen. Die Wissenschaftler vor allem sind ungeduldig, ehrgeizig und produktiv in Vorschlägen wie dem oben angeführten. Die Praktiker sind nüchterner; sie kennen die Schwierigkeiten.

Als wichtige und unverzichtbare Voraussetzung für eine wirtschaftliche Gesundung wird die Preisreform angesehen. Denn nur eine freie Preisbildung kann den Ausgleich zwischen Angebot und Nachfrage schaffen, aber auch realistische Kaufkraftparitäten zwischen den marktwirtschaftlichen Ländern des Westens und den sozialistischen Staaten des Ostens herstellen. Solange, administrativ verordnet, ein Kleinwagen 10000 Rubel, ein Kilo Brot aber zehn Kopeken kostet, sind keine Kaufkraftparitäten denkbar. Freie Wechselkurse können sich nicht bilden, weil bei solchen Preisrelationen kein Interesse am Rubel besteht. Ein Gleichgewichtskurs am freien Devisenmarkt wäre folglich nicht zu erzielen. Erst wenn die Währungsparitäten so weit wie möglich den Kaufkraftparitäten angepaßt sind, ist eine echte Konvertibilität des Rubels denkbar.

Die Sowjetunion braucht also zuvorderst eine Preisreform, ohne die letztlich eine erfolgreiche Wirtschaftsreform nicht durchzuführen wäre. Das Vorhaben ist nicht ohne Risiken. Es wird ungeheuer schwierig sein, ein auch nur partiell freies Spiel von Angebot und Nachfrage in einer jahrzehntelang zentralistisch und dirigistisch geführten Planwirtschaft in Gang zu setzen. Denn damit würden plötzlich ungeahnte Gefahren drohen. Sowjetische Wissenschaftler spielen bereits folgendes Szenario durch: Die Preise für Nahrungsmittel und den sonstigen Lebensunterhalt steigen drastisch an; Inflation zeichnet sich ab; unrentable Betriebe müssen geschlossen werden; viele Beschäftigte drohen als Arbeitslose in eine Tiefe zu fallen, in der sie kein soziales Netz auffängt – Probleme, welche die Sowjetunion und ihre Völker in der Vergangenheit nicht kannten. Noch schlummern sie im Schoß der Perestroika.

Moskau will vollgültiges Mitglied im Weltmarktgeschehen werden. Schon seit Jahren haben Sowjets die Vorteile der internationalen Arbeitsteilung studiert und den möglichen Nutzeffekt für die Sowjetunion zu errechnen versucht. Die früher eher geschwächten Institutionen wie GATT, Weltbank und Internationaler Währungsfonds wollen sie nicht mehr kritisieren, sondern streben die Mitgliedschaft an. Ein eher fernes, aber erstrebenswertes Ziel ist sicher, als Partnerland zum Weltwirtschaftsgipfel geladen zu werden. Meine Gespräche im Sommer 1989 machten jedenfalls deutlich, daß die Sowjetunion auf diesem Gebiet ein Land des Wohlverhaltens werden will.

Der Leser möge mir verzeihen, wenn ich einen etwas fachmännischen Exkurs an den Schluß dieses Kapitels gestellt habe. Aber für die Sowjetunion entscheidet sich der Erfolg aller Reformen – nicht weniger als in anderen Horten der Planwirtschaft – auf dem wirtschaftlichen und finanzpolitischen Feld.

Im nächsten Kapitel ist nachzulesen, wie noch vor acht Jahren über die internationalen Finanzmärkte gedacht wurde. Ein konvertierbarer Rubel war zu dieser Zeit in Moskau kein Fremdwort – es war ein Unwort.

Die »Kreditwaffe« und ihre Folgen

Es ist viel über die Kreditwürdigkeit der Sowjetunion geredet und geschrieben worden. Dazu kann ich mich also kurz fassen.

Die Sowjetunion ist ein schwieriger Verhandlungspartner. Wenn aber nach wirklich nicht einfachen Gesprächen eine Entscheidung über Konditionen und Abwicklungskriterien eines Vertrags erzielt wird, dann können wir nach allen Erfahrungen davon ausgehen, daß die Sowjetunion ein zuverlässiger Partner ist. Zuverlässig aus dem Blickwinkel eines Finanziers bedeutet, daß die Kreditschuld – Zinsen und Kapitalzurückzahlung – ernst genommen wird. Und die Sowjetunion nimmt sie nicht nur ernst, sondern penibel genau, weil sie damit ihre politische Reputation verbunden sehen will. Auch im Vergleich zu den Verschuldungsbeträgen anderer Staaten steht die Sowjetunion, gemessen an ihrem Leistungsvermögen, immer noch in einem günstigen Verhältnis da, wenngleich Gorbatschow nach längerem Zögern seit Herbst 1988 in einem erstaunlichen Umfang Währungskredite für Einfuhren freigegeben hat. Doch hierzu später mehr.

Sehr berührt hat die Sowjetunion im Jahre 1981 die Verschuldung Polens gegenüber der westlichen Welt, die auch den Westen damals in ihrem Umfang – rund 28 Milliarden US-Dollar von Banken und sonstigen Kreditgebern – aufschreckte. Ich mußte mir in Moskau bittere Vorwürfe anhören. Die Regierung in Bonn wie auch die Banken räumten, so ließ man uns wissen, den Polen viel zu weitgehende Kredite ein. Eine solche Großzügigkeit sei nicht zu begreifen. Man wisse sehr wohl, wie kritisch deutsche Banken ihre Kreditvergaben überprüften; man wisse um die Recherchen und die Sorgfalt, die man hinsichtlich der Bonität eines potentiellen Schuldners vornehme. Da Polen im Westen schon längst als zweifelhafter Schuldner habe bekannt sein müssen, könne es dafür nur eine Erklärung geben: Die Kredite hätten einen anderen Zweck verfolgt. Ob es, so fragte man in vorwurfsvollem Ton, der Bundesrepublik und dem gesamten Westen nicht vielmehr darum gehe, die Volksrepublik Polen aus dem Verband des COMECON und des Warschauer Paktes herauszubrechen.

Mir war bei diesen Vorwürfen, die ich sozusagen stellvertretend für alle Kreditgeber über mich ergehen lassen mußte, nicht ganz wohl zumute. In der Tat wußte ich, daß die damalige Bundesregierung unter Helmut Schmidt die Banken in der Bundesrepublik dringend gebeten hatte, Polen einen bestimmten weiteren Kredit zu gewähren. In den siebziger Jahren hatte es schon größere Kredite, unter anderem auch wegen polnischer Kupferlieferungen, gegeben. Kupfer war neben der Kohle das Hauptexportgut Polens und das einzige Vorkommen dieser Art in Europa. 1980 plante Helmut Schmidt einen Besuch bei seinem Freund Gierek, dem Generalsekretär der polnischen Arbeiterpartei, der auch Schmidt-Freund Giscard d'Estaing, dem damaligen Präsidenten der Französischen Republik, eng verbunden war. Der Bundeswirtschaftsminister im Kabinett von Helmut Schmidt, Graf Lambsdorff, drängte bei mir als seinerzeitigem Präsidenten des Bankenverbandes, doch endlich diesen zusätzlichen Kredit einzuräumen. Er liege, so hieß es, im Interesse der Bundesregierung wie auch der Sowjetunion. Soweit ich mich aus meinem Berufsleben erinnern kann, war dies das einzige Mal, daß die Banken in dieser eindringlichen Weise von der Regierung um eine entsprechende Entscheidung gebeten wurden.

Im Vergleich zur damals schon gewaltig angewachsenen polnischen Gesamtschuld waren diese Beträge relativ gering. Und natürlich war ihre Gewährung nicht in dem Sinne motiviert, den die Sowjets später dahinter vermuteten. Dies habe ich ihnen in meinen Gesprächen an jenem Tag der bitteren Vorwürfe in Moskau eindringlich beteuert. Eine politische Absicht, Polen aus dem Verband der Verbündeten der Sowjetunion herauszubrechen, sei völlig aus der Luft gegriffen. Richtig sei vielmehr, sagte ich ihnen, daß zwischen den Kreditgebern in der Bundesrepublik und der Sowjetunion ein gleiches Interesse bestehe, die Zahlungsfähigkeit Polens durch Förderung der exportfähigen Industrie wiederherzustellen. Polen sei ein wichtiger Handelspartner für die Bundesrepublik.

Wir einigten uns schließlich nach stundenlanger heftiger Diskussion darauf, daß jede Seite nach Kräften und ohne weitere Vorwürfe an den anderen darum bemüht sein sollte, den Verschuldungsfall Polen konstruktiv zu verfolgen. Ein Restsatz an Mißtrauen indes blieb – eines Mißtrauens, das unmittelbar mit dem Bedrohungsgefühl der Sowjetunion zusammenhängt und rational nicht zu erklären ist. Polen ist für die Sowjetunion ein wichtiges Sicherheitsglacis nach Westen.

Die Sowjets führten nun ein anderes Argument in die Debatte ein. Sie sagten: »Wenn schon der Bundesrepublik und den kreditgebenden Banken gegenüber dieser Vorwurf nicht erhoben werden kann, dann müssen wir diesen Vorwurf aber gegenüber der amerikanischen Seite aufrechterhalten.« Wegen der polnischen Situation war die Nervosität in Moskau damals, 1981, deutlich zu spüren. Es gab Aufregung und Unsicherheit. Man fragte mich nach meiner Meinung, welchen Rat ich nun geben könnte.

Ich empfahl, der Volksrepublik Polen, die schließlich ein Gründungsmitglied des Internationalen Währungsfonds* sei, die Rückkehr in den IWF zu gestatten. Als Vollmitglied würde Polen mit Rat und Tat geholfen werden können; unter gewissen Auflagen auch in Form von Krediten. Daß Polen Bedingungen zu erfüllen hätte, könne vielleicht auch der sowjetischen Führung gar nicht so unangenehm sein, weil der Internationale Währungsfonds, ausgestattet mit internationaler Reputation und Neutralität, die Warschauer Regierung entsprechend beeindrucken werde.

* Der Internationale Währungsfonds – kurz: IWF – setzt sich aus 151 Mitgliedsstaaten zusammen. Anders als in der UNO verfügen die großen westlichen Industriestaaten hier über die Stimmenmehrheit. Führungsgremien sind der Gouverneursrat und das Exekutivdirektorium. Der IWF verfolgt die Einhaltung fairer Wechselkurse, will die Versorgung der Welt mit ausreichender Liquidität gewährleisten und wirkt auf die Vermeidung von Devisenbeschränkungen. Schließlich stellt er einen Hilfsfonds für Mitgliedsstaaten zur Verfügung, die in Zahlungsbilanzschwierigkeiten gekommen sind. Er überwacht im Rahmen des Anpassungsprogramms, ob der hilfesuchende Kreditnehmer die notwendigen und vereinbarten Maßnahmen ergreift, um seine Zahlungsprobleme zu beseitigen.

Diese Idee machte meine Gesprächspartner nachdenklich. Ich merkte, wie sehr sie mit sich rangen, ob eine solche Empfehlung praktikabel wäre. Am nächsten Tag sagte man mir, das sei nicht möglich. Der Internationale Währungsfonds sei eindeutig von den Vereinigten Staaten dominiert, und das hätte zur Folge, daß man Polen den Wiedereintritt als Vollmitglied nicht werde gestatten können.

Für mich war dieser Fall wieder einmal ein Beispiel für das latente Mißtrauen der Sowjets dem Westen gegenüber. Es wurde immer dann spürbar, wenn der Westen durch sein Verhalten die Berechtigung hierfür selbst zu liefern schien – und das aufgrund vorgefaßter, klischeehafter Meinungen über die UdSSR. Diese mißliche Wechselwirkung habe ich bei meiner Arbeit immer wieder beobachten können. Es war mühsam genug, über Jahre gemeinsamer Erfahrungen in Verhandlung und Abwicklung wichtiger Vorhaben das Ohr der anderen Seite zu bekommen, sich dann gegenseitig anzuhören, um schließlich Mißdeutungen und Verdächtigungen Stück für Stück abzubauen.

Ungefähr zur gleichen Zeit führte ich über den Fall Polen auch eingehende Gespräche mit dem Chef der Gosbank. Ich schätzte Herrn Alchimow, der bei der Zentralbank zehn Jahre lang mein Verhandlungspartner war, außerordentlich. Er war hochintelligent, sensibel und klug und hatte eine vornehme Gesinnung, die mich immer wieder beeindruckt hat. Erst später erfuhr ich, daß Alchimow im Kriege wegen seines Einsatzes im damals belagerten Leningrad als »Held der Sowjetunion« ausgezeichnet worden war. Als er mich eines Abends zu einer Aufführung ins Bolschoi-Theater einlud, hatten wir nach der Vorstellung noch ein sehr persönliches Gespräch, in dem auch die Sorge über die polnische Entwicklung anklang.

Der Kreis der hohen Funktionäre, die in unserem Sinne kompetent und verantwortlich über die Kreditprobleme Polens etwas sagen konnten, war äußerst eng gezogen. Es gab ja kaum Herren, die genügend eigene Erfahrung hatten, um im internationalen Kontext die Lösung eines solchen Falles anzupeilen.

Herr Alchimow schilderte mir, wie groß auch im Sowjetvolk die Unruhe und Kritik über das Verhalten der Polen seien. »Unsere Menschen, die täglich hart arbeiten, verstehen nicht, daß in Polen immer wieder demonstriert wird«, sagte er mir. »Und das nicht nur wie bei euch in der Bundesrepublik am Wochenende, sondern auch an den Werktagen. Dafür haben unsere Leute kein Verständnis.«

Es sei hier erwähnt, daß die Sorge Moskaus um das Sicherheitsglacis so weit ging, Polen einen beachtlichen Milliarden-Dollar-Betrag à fond perdu zur Wiederankurbelung seiner Wirtschaft einzuräumen. Aber die polnische Situation verursachte damals auch in den westlichen kreditgebenden Ländern, und zwar bei Banken wie Regierungen, Aufregung und Nachdenken. Schließlich nahm die internationale Verschuldungskrise in ihrem – allerdings zunächst unterschätzten – riesigen Ausmaß 1981 mit Polen ihren Anfang.

Im Frühjahr 1982 kam der neuernannte Verteidigungsminister der Vereinigten Staaten, Caspar Weinberger, in die Bundesrepublik. Der Minister äußerte bei dieser Gelegenheit, daß man ja nun eine besonders günstige Position dem Ostblock und Moskau gegenüber innehabe. Da Polen zum Sowjetblock gehöre, solle man jetzt den gesamten Kreditbetrag zurückfordern, in analoger Anwendung der sogenannten *cross default clause**.

Die Überlegungen der Amerikaner zielten unverkennbar in diese Richtung. Weinberger folgerte, hier habe man eine neue Waffe gegenüber der Sowjetunion in der Hand. »Wir kommen ihnen nicht bei mit militärischen Mitteln, vielleicht auch nicht mit politischen. Aber nun haben wir die Kreditwaffe, und diese sollten wir nutzen.«

Auch in der Bundesrepublik wurde, unter anderem vom Bundesaufsichtsamt für das Kreditwesen in Berlin, die COMECON-Verschuldung zeitweilig wie eine Konzernverschuldung angesehen, so daß die Zahlungsunfähigkeit eines Ostblocklandes durch Anwendung der *cross default clause* automatisch eine Fälligkeit der internationalen Kredite für den gesamten Ostblock zur Folge gehabt hätte – mit der Wahrscheinlichkeit, daß der gesamte COMECON-Bereich zahlungsunfähig geworden wäre. Es kam nicht dazu. Aber der Vorgang zeigt, wie sehr das Klima zwischen den Großmächten, und generell zwischen West und Ost, angespannt und feindlich war. Ich habe es lange genug erfahren müssen.

Es war der Beginn der Präsidentschaft Ronald Reagans. Wie immer, wenn im Westen eine neue Regierung ihre Amtsgeschäfte aufnimmt, wurden damals in Moskau intensive Recherchen angestellt. Es galt, die neue US-Administration richtig einzuschätzen und

* Die Klausel besagt, daß ein (internationaler) Konzern wie *ein* Kreditgeber behandelt wird; mit anderen Worten: Die Konzernleitung ist zur Aufrechterhaltung der Zahlungsfähigkeit eines jeden Konzerngliedes verpflichtet mit der Sanktion der sofortigen Fälligkeit aller dem Konzern und seinen Gliedern gewährten Kredite, wenn auch nur ein – und sei es das unbedeutendste – Konzernglied seine Verpflichtungen nicht termingerecht erfüllt.

dann eine allgemeingültige Sprachregelung für das Millionenheer der Funktionäre im weiten Land zu treffen. So geschieht dies gegenüber den Kanzlern der Bundesrepublik Deutschland, und so war es insbesondere gegenüber dem wichtigsten Land außerhalb der sozialistischen Welt, den Vereinigten Staaten von Amerika. Die für Ronald Reagan erarbeiteten Merkmale lauteten: ein kriegslüsterner Präsident, der säbelrasselnd den Westen zur Bedrohung der friedliebenden Sowjetunion aufrüstet.

Bei der Besichtigung eines Kompressorenwerkes in Leningrad – sie fiel in die Zeit unserer schwierigen, von den USA kritisierten Verhandlungen über die Jamal-Pipeline – fand ich in der Fabrikhalle ein großes Plakat mit der Aufschrift: »Unsere Antwort ist unsere Arbeit, Herr Präsident!« Die US-Regierung hatte damals verboten, daß wichtige amerikanische Zulieferungen zur Herstellung hochwirksamer Kompressoren für die Pipeline erfolgten. Man sagte mir enttäuscht und verbittert: »Wir haben auf eine sinnvolle Welt-Arbeitsteilung vertraut, die man uns jetzt verweigert. So werden wir unsere eigenen Kompressoren herstellen.« Dies geschah auch, wenngleich die sowjetischen Kompressoren geringere Leistung aufwiesen.

Bei den Sowjets hatte also die polnische Situation mit den Folgerungen, die im Westen daraus gezogen wurden, zu einer Sensibilität geführt, die über Jahre spürbar war – und es vielleicht immer noch ist. Mir zeigte dies einmal mehr, wie sehr das schon geschilderte Bedrohungsgefühl der Sowjetunion nicht nur durch historisch bedingte Einbildung, sozusagen traumatisch, sondern auch durch konkrete Vorgänge wachgehalten wird.

Die sowjetische Sensibilität dem Westen gegenüber war auch auf einem anderen Gebiet zu beobachten: dem der Reputation der Sowjetunion in der kapitalistischen Welt. Hierzu eine Begebenheit, die mir charakteristisch erscheint. 1975 nahm das Interesse auf den internationalen Finanz- und Kapitalmärkten für die Bonitätskriterien der Schuldnerländer deutlich zu. Während die betroffenen westlichen Staaten – wie schon in der Vergangenheit – ihre entscheidenden volkswirtschaftlichen Daten offenlegten, weigerte sich die Sowjetunion – sei es aus Mißtrauen und Ablehnung gegenüber diesen Märkten, sei es aus Großmachtdünkel –, ihre Eckdaten zu publizieren. Es konnte nicht ausbleiben, daß die internationale Presse Vermutungen darüber anstellte, ob es um die Bonität der Sowjetunion tatsächlich so ordentlich bestellt sei; wer etwas verschweige, habe in aller Regel auch etwas zu verbergen. Diese Spekulationen wurden in international seriösen Zeitungen mit kritischen Schlagzeilen über die Kreditwürdigkeit der Sowjetunion aufgemacht.

Damals war der stellvertretende Ministerpräsident Tichonow, später Regierungschef, dabei, den neuen Fünfjahresplan, für den er verantwortlich war, vorzubereiten. Er bat mich in den Kreml und hielt mir vor, derartig falsche und schädigende Meinungen über die Sowjetunion seien auch durch unser Verhalten – gemeint waren die Bundesrepublik und die Deutsche Bank –, ja sogar durch mein persönliches Verhalten zustande gekommen.

Hier muß ich Herrn Tichonow schildern. Er war ein Vertrauter Leonid Breschnews, stammte aus der Ukraine und war ein sehr gestrenger Herr. Äußerlich ein hagerer, beinahe asketischer Typ, gab er sich fast immer außerordentlich unwirsch. Er wirkte auf mich wie der finstere Prior eines Klosters, der wachsam jedes Fehlverhalten in seinem Zuständigkeitsbereich ahndet.

Bei unserer Unterredung hatte ich alle Mühe, die Vorwürfe Herrn Tichonows zurückzuweisen. Auf eine konkrete Frage meines Gegenübers nach dem Kreditstanding der Sowjetunion auf internationalem Gebiet äußerte ich schließlich, die Sowjetunion werde, das müsse ich zugeben, im Westen unter Preis gehandelt. Das liege aber nur daran, daß die Sowjetunion sich nicht so geriere, wie das ein interessierter Schuldner am internationalen Kreditmarkt tun würde. Letzten Endes verfahre dieser Markt, auf den die Bundesrepublik keinerlei Einfluß habe, eigengesetzlich nach vergleichbaren Kriterien zur Einschätzung der Schuldnerpotenz, was besage, daß die Kreditwürdigkeit eines ganzen Landes zu taxieren sei. Dazu gehörten volkswirtschaftliche Eckdaten ebenso wie Kapitalbewegung, Zentralbankverhalten, vor allen Dingen aber auch Währungsreserven im Zusammenhang mit den Leistungs- und Handelsbilanzen. Alles dies lege die Sowjetunion nicht vor. Nach meiner persönlichen Meinung sei die Sowjetunion unter Berücksichtigung dieser Kriterien durchaus positiv darzustellen. Da dies aber nicht geschehe, dürfe man sich nicht wundern, wenn am internationalen Markt kritische Stimmen dominierten.

Ich habe dann weiter darauf hingewiesen, daß die Sowjetunion neben Südafrika der größte Goldproduzent sei. Dieser Umstand stelle ein besonderes Kriterium der Kreditwürdigkeit dar. Die Sowjetunion besitze nicht nur erhebliche, physisch verfügbare Goldreserven, sondern auch nachgewiesene Lagerstätten, die in absehbarer Zeit gehoben werden könnten.

Herr Tichonow hörte sich dies alles aufmerksam an. Seine Miene wurde aber nicht milder. Um dem ganzen Gespräch den etwas beklemmenden Ernst zu nehmen, versuchte ich es mit einer Offensive und sagte mit freundlichem Gesicht: »Da sowjetische Angaben fehlen, Herr Ministerpräsident, muß der Westen schätzen, wie groß die Goldreserven der Sowjetunion sind.« Ich nannte ihm eine Summe und fügte hinzu, diese sei in etwa gleichlautend sowohl von der amerikanischen CIA wie von anderen westlichen Ländern errechnet worden. »Wenn ich von dieser Summe des Vorrats an verfügbarem Gold den Betrag abziehe, den wir als Schuld der UdSSR gegenüber dem Getreidelieferland USA kennen, bleibt ein Betrag übrig, der die außenstehenden Währungsschulden Ihres Landes sicher ohne Schwierigkeiten decken würde.«

Tichonow schaute mich durchdringend und mit einem Anflug von Überraschung an. Schon kam ich mir wie ein beim Verrechnen ertappter Schüler vor. Aber plötzlich sagte er zu meinem Erstaunen: »Herr Christians, das ist ja außerordentlich interessant. Bitte halten Sie mich weiter informiert.«

Nun war die Überraschung auf meiner Seite. Wie hätte ich mir vorstellen können, daß dieser wichtige Mann, verantwortlich für den Fünfjahresplan, nicht über die Höhe der Goldreserven seines Landes informiert sein könnte. Wenig später habe ich dies dem Vizepräsidenten der Bundesbank, Herrn Emminger, einem international anerkannten Experten in Gold- und Devisenfragen, erzählt. Er antwortete mir, daß er in einem ähnlichen Sinn mit den Sowjets, und auch mit Herrn Tichonow, über diesen Punkt gesprochen und den Eindruck gewonnen habe, daß Herr Tichonow dies wirklich nicht gewußt hätte. Ich kann mir aber bis heute nicht vorstellen, daß er wirklich nicht auf dem laufenden war, vielleicht hat er mich nur düpieren wollen.

Bleiben wir bei Herrn Tichonow, diesem gestrengen Herrn, den ich nur ein einziges Mal, trotz vieler Begegnungen, habe lächeln sehen. Dies war an seinem 75. Geburtstag, den er in der Bundesrepublik Deutschland beging, anläßlich eines zufällig damit zusammenfallenden Reisetermins. Wir waren in einem kleinen Kreis in der Residenz des sowjetischen Botschafters – damals Herr Semjonow – versammelt. Es war das Jahr 1981, zu der Zeit, als wir den schon erwähnten großen Jamal-Pipeline-Kredit behandelten. Das Lächeln, das bei meinem Glückwunsch über sein Gesicht huschte, gefror rasch wieder. Tichonow machte mir eindringlich klar, daß die Zinsforderungen, die ich vertreten hatte, ganz und gar nicht akzeptiert werden könnten. Hier, so Tichonow, käme ein kapitalistisches Profitstreben zum Ausdruck, bei dem er mich zur Mäßigung mahnen müsse. Ich fand, daß dies nicht der Ort sei, tiefer in die Materie einzusteigen, und setzte ein möglichst unbefangenes Gesicht auf. Auch in dieser Hinsicht hatte ich bei den Verhandlungen mit sowjetischen Partnern einiges dazugelernt.

Die Jamal-Pipeline tut sich schwer

Die Sowjets haben das Jamal-Pipeline-Projekt später einmal als ein Jahrhundertwerk gepriesen. In der Tat hat es gigantische Ausmaße. Und es bedurfte entsprechender Geldmittel, um es zu bewerkstelligen. Daß Kredite in solchem, bisher kaum gekanntem Umfang sehr sorgfältig überlegt und hart verhandelt werden mußten, kann nicht verwundern. Schließlich brauchten wir fast drei Jahre, um mit den Sowjets handelseinig zu werden. Jahre, die auch im Schatten der Politik standen.

Wie kam es zu diesem Jahrhundertprojekt? Im Dezember 1979, zehn Jahre nach meiner ersten Reise nach Moskau, zwölf Tage vor dem Eindringen sowjetischer Truppen in Afghanistan, wurde ich von Moskau gebeten, doch umgehend in die sowjetische Hauptstadt zu kommen. Es liege, ließ man mir mitteilen, eine dringliche Angelegenheit vor.

Der sowjetische Botschafter, Wladimir S. Semjonow, fragte mich am 11. Dezember 1979, ob ich die Reise nach Moskau antreten könne. Ich entgegnete, mein Terminplan sei in den kommenden Tagen so eng, daß ich schon wegen der Verkehrsverbindungen die Reise kaum machen könne. Ich müßte dann schon mit einem Charterflugzeug auf kürzestem Wege Moskau erreichen und wieder verlassen. Dazu bedürfe es aber einer besonderen Genehmigung. Herr Semjonow sagte zu, mir diese – damals sehr umständlich zu erhaltende – Genehmigung zu verschaffen.

Man besorgte mir dann einen privaten Jet. Mit ihm nach Moskau zu gelangen war ebenfalls sehr umständlich, im Gegensatz zu heute. Es bedingte, daß ein sowjetischer Luftlotse (Navigator) von Moskau nach Düsseldorf kam, um mit an Bord zu gehen, und daß dieser Lotse uns auf dem Rückweg wieder bis Düsseldorf begleitete. Nach allerlei bürokratischen Hindernissen ging es dann am 13. Dezember nach Moskau.

Dort wurde ich vom Chef des Gosplan, Herrn Bajbakow, in dessen Arbeitszimmer empfangen. Das Büro hat mich sehr beeindruckt. Es war weiträumig, und an den hohen Wänden, also rund um seinen Schreibtisch, waren riesige Darstellungen der nationalen Bodenschätze der Sowjetunion angebracht. Herr Bajbakow unterließ nicht den Hinweis, hier handele es sich um »eine geheime Verschlußsache der Roten Armee«. Alle Rohstoffe waren an ihren jeweiligen Lagerstätten dokumentiert, das Öl, das Gas, aber auch die dazugehörigen Pipelines. Daraus ersah ich, daß die Sowjetunion schon damals das Land mit dem größten Pipeline-Netz für Öl und Gas war. Herr Bajbakow zeigte mir dann die Naturgas-Lagerstätte in der Nähe des Polarkreises mit der Bemerkung, jetzt gehe es darum, erstmalig eine Pipeline eigens für Westeuropa zu verlegen, um vor allem die Bundesrepublik, aber auch einige andere westeuropäische Staaten mit dem so dringend benötigten Naturgas zu versorgen. Er führte eine Reihe von Argumenten an, die alle sehr höflich und eingehend erläutert wurden, mir aber bald klarmachten, daß sich die Sowjetunion offenbar in einer günstigen Ausgangsposition wähnte. Man sah unseren Bedarf an Primärenergie als sehr dringlich an und bereitete sich folglich darauf vor, entsprechende Rahmenbedingungen zu verlangen.

Was ihre Mittel in der nun beginnenden Verhandlungsrunde anging, so waren sie in der Tat beachtlich. Vom Reichtum der Sowjets und der Potenz dieses Landes, soweit die Natur sie ihnen sozusagen gratis geliefert hatte, habe ich mich nicht nur anhand der graphischen Darstellungen im Büro des Herrn Bajbakow an jenem Dezembertag 1979 überzeugen können. Ich hatte Reisen durch viele Gebiete der UdSSR unternommen, um unter anderem die Rohstoffvorkommen an Ort und Stelle zu studieren. In erster Linie imponierten mir in diesem weitläufigen Land immer wieder die riesigen Primärenergie-Vorräte wie Erdöl, Erdgas, Braun- und Steinkohle sowie Wasserkraft, vor allem in Sibirien. Beim Erdgas ist die Bundesrepublik heute der größte westliche Abnehmer. Es lag also nahe, das Produktionsgebiet, aus dem wir als erste bedient werden sollten, näher in Augenschein zu nehmen.

Man hatte mir einen Charterflug nach Nowyj Urengoj angeboten, zur »Erdgas-Metropole« der Welt. Der Flug ging über Tjumen, den wichtigen Erdöl-Umschlagplatz in Westsibirien. Auf seinem Weg in die sibirische Verbannung hat der deutsche Dichter Kotzebue den Ort Tjumen bereits 1800 beschrieben, und auch Alexander von Humboldt hat diesen Platz auf seiner von Zar Nikolaus I. 1829 angeregten Forschungsreise durch die östlichen Teile des Reiches besucht. Nowyj Urengoj, mit damals, Anfang der achtziger Jahre, etwas über 30000 Einwohnern, glich mit gerade einer geteerten Straße einer Goldgräberstadt des amerikanischen Westens, nur mit unwirtlicherem Klima. Das Durchschnittsalter der Bevölkerung, die sich bis Ende des Jahrhunderts verdreifachen soll, lag unter dreißig Jahren, mit einem deutlichen Männerüberschuß. Angelockt durch ein vergleichsweise hohes Gehalt und Sonderurlaub, verdingen sich junge Leute, oft Studenten, die sich durch ihren Einsatz Studienplätze in Moskau ergattern können, zu dieser nicht gerade bequemen Erschließungsarbeit.

Trotz harter Bedingungen bei bescheidenen, wenn nicht gar trostlosen Lebensumständen war die Moral erfreulich positiv. Bei den leitenden Männern, Ingenieuren und Betriebsleitern, war sie geprägt von Stolz und Selbstbewußtsein hinsichtlich der Wichtigkeit ihrer Aufgabe. Man kann ihre Einstellung verstehen. Schon damals förderten sie, bei erheblichen Steigerungsraten, über 500 Milliarden Kubikmeter pro Jahr. 1990 sollen es 850 Milliarden sein. Sie holen das Gas aus dem kargen Boden der Tundra, der nur im Winter hält, und verkaufen es gegen wertvolle Westdevisen. Nicht nur die innere Einstellung zu ihrer Aufgabe fiel mir auf, sondern auch die Sicherheit ihres Urteils, das Selbstbewußtsein gegenüber dem fernen administrativen Wasserkopf in Moskau – und das Jahre vor Gorbatschow.

Diese Erfahrung habe ich fast überall auf meinen Reisen machen können. Das Benehmen der Menschen, auch das der Funktionäre, änderte sich merkbar, je weiter man von Moskau entfernt war. Zwar gab man sich nicht unbotmäßig, aber man trat weniger uniform auf und betete nicht alles nach. Besonders die Sibiriaken haben es mir durch ihre Direktheit und robuste Vitalität angetan. Der Wodka, der in Sibirien noch um einige Grade stärker ist als andernorts, tat das seine, um unseren offenen Meinungsaustausch zu beflügeln. Nirgendwo habe ich den Tisch so reich gedeckt gesehen wie in dieser so kargen Umgebung, ein Beweis für das gute Funktionieren der Versorgung.

Wenn ich an die zwanzig Jahre Verhandlungen und Gespräche an vielen Plätzen der Sowjetunion zurückdenke, so nimmt der Wodka einen hervorragenden Platz in meinen Erinnerungen ein. Schon in den Jahren des Krieges in Rußland hatte sich bei uns Soldaten das »Wässerchen« aus zweimal über Kohle filtriertem Kartoffelsprit als Seelentröster bewährt. Die inzwischen offiziell verfügte Konsumbeschränkung brachte wohl eine entscheidende Zäsur. Den Russen den Wodka vorzuenthalten heißt, ihr Gemüt denaturieren zu wollen.

Gewiß, vorher gab es immer wieder Anlässe, aus denen heraus oft schon mittags zu reichlichem Alkoholkonsum gedrängt wurde; ein Entrinnen war dann meist unmöglich. Da ich ständig beobachtet wurde, konnte ich den Glasinhalt auch nicht in eine Blumenvase oder gar unter den Tisch kippen. Und hinterher war einem dann meist übel; zumindest aber war man für den Rest des Tages seiner Verhandlungsfähigkeit nicht mehr ganz sicher. Trotz all dieser oft erfahrenen Bedrängnisse bleibt die »ernüchternde« Feststellung, daß unsere Zusammenkünfte mit den Russen in der letzten Zeit ohne Wodka zwar freundlicher in der offiziellen Form der Begegnung, aber ärmer im Nachhall der Gespräche geworden sind – und dies auf beiden Seiten.

Im Land selbst läßt sich kaum feststellen, daß die Wodkaeinschränkung nachhaltig den gewünschten Erfolg herbeigeführt habe. Anfangs haben vor allem die Ehefrauen die Maßnahmen begrüßt, inzwischen hat sich aber längst gezeigt, daß mit privaten Destilliergeräten eine millionenfache Umgehungsbeschaffung organisiert wurde. So wird wieder eifrig Wodka getrunken, die Arbeitsproduktivität ist wie eh und je niedrig, der Zucker mußte rationiert werden, und dem Staat gehen beachtliche Steuergelder verloren.

Die endlosen Tundrafelder bei Urengoj habe ich bis hin zum Polarkreis in großräumigen, geradezu bequem eingerichteten Hubschraubern überflogen und mir ein Bild machen können von den Erschließungs- und Transportmethoden. An den interessantesten Punkten des Riesennetzes landeten wir, und man gab uns Erläuterungen. Ich habe mich davon überzeugen können, wie zügig und raumgewinnend ein Mannesmann-Großrohr nach dem anderen angeschweißt wurde.

Die Sowjets waren stolz darauf, den Amerikanern in der Schweißtechnik den Rang abgelaufen zu haben, und berichteten uns, daß ihre US-Konkurrenten sich um eine Lizenz für das sowjetische Verfahren bemühten. Für den Laien zeichnet sich dieses dadurch aus, daß die Zusammenfügung der Rohrenden in einem sehr kurzen Arbeitsgang ohne das zeitraubende Nachzeichnen der Schweißnaht erfolgt. Ein gewaltiges japanisches Rohrhebegerät und ein fahrbarer Aku mit wenigen Mann Bedienung stellten die ganze mobile Arbeitsstätte dar. Wie ein riesiger Lindwurm schlängelte sich die Pipeline, flexibel, aber fest an den Nahtstellen, durch die baumlose Taiga.

Nowyj Urengoj als eines der größten Erdgasvorkommen der Welt ist imponierend. Doch es ist auch eines der reichsten in der Qualität. Noch deckt es in erster Linie den wachsenden Eigenbedarf der Sowjets. Aber es wird, auf Jahrzehnte hinaus, Westeuropa über ein riesiges Netz von Tausenden von Kilometern langen Pipelines mitversorgen.

Sibirien, so heißt es, ist die Schatzkammer Rußlands, vor allem hinsichtlich der Primärenergie. Das Braunkohlevorkommen in Mittel- und Südsibirien, rund um Kansk-Atschinsk zum Beispiel, erstreckt sich über ein Gebiet von etwa der doppelten Größe Nordrhein-Westfalens. Auch dieses Kohlebecken habe ich besichtigt. Seiner riesigen Ausmaße wegen hat man es mir zunächst aus der Luft gezeigt.

Als Flugzeug hatte man eine kleine, für weniger als zwanzig Passagiere ausgelegte dreistrahlige Yak-Düsenmaschine besorgt. Dieser Typ sollte in den sechziger Jahren einmal ein Exportschlager werden, war aber viel zu aufwendig in der Herstellung, zu teuer im Verbrauch, zu laut und umweltfeindlich. Für unsere Zwecke genügte er. Der Jet war bequem und wendig genug, um aus der Luft einen Eindruck vom Ausmaß der Kohlebecken und dem Tagebau zu ermöglichen.

Ich kannte das linksrheinische Braunkohleförderungsgebiet zwischen Köln und Aachen. Dort wird mit den größten Schaufelbaggern der Welt der Abraum von 300 bis 400 Meter Tiefe beiseite geräumt, um an die Kohle zu gelangen. Hier, in Kansk-Atschinsk, beträgt der Abraum etwa 15 Meter. Wer in den offenen Tagebau hineinfährt, hat den optischen Eindruck, einer riesigen Sandschokoladentorte gegenüberzustehen. Die Unterkante des gelblichen Abraums stößt sauber, wie von einem Küchenmesser bloßgelegt, auf die tiefdunkle Schokolade des Kohleflözes. Ein hausgroßer Bagger, der an einen Dinosaurier erinnert, fördert mit einer unvorstellbaren Schaufel, die bis zu einhundert Tonnen faßt, sein Gut auf offene Güterwagen.

Die Idee für die Zukunft ist, die geförderte Braunkohle mit Methanol versetzt durch eine Pipeline zum Verwendungsort zu transportieren. Und hier sind wir bei einem der größten Strukturprobleme der UdSSR überhaupt: der Schwäche des Transportsystems. Angesichts von Größenordnungen, die jene der USA bei weitem übertreffen, wird immer wieder die Frage gestellt: Bringen wir die Rohstoffe zu den Menschen und ihren Verarbeitungskapazitäten und damit zu Gebieten, die infrastrukturell bereits voll erschlossen sind, oder holen wir die Menschen zu den Fundstellen und bauen dort Produktionsstätten? Bisher tat man beides, mit einem leichten Plus zugunsten der ersten Option. Das gilt auch für die in Sibirien günstig erzeugte Elektrizität.

Ein Beispiel: Der wasserreichste Fluß Sibiriens ist der Jenissej. Er betreibt in relativer Nähe zueinander zwei Wasserkraftwerke. Das neueste und größte mit einer Leistung von 6300 Megawatt habe ich besichtigt. Dagegen verblassen europäische Wasserkraftwerke (z. B. Vianden), aber auch Assuan in Ägypten oder Stauseen in Argentinien und Paraguay. Itaipu in Brasilien mit 12600 Megawatt will ich hier ausnehmen. Der in Mittelsibirien erzeugte Strom kann nur zu einem geringen Teil örtlich genutzt werden. Nicht weit davon liegt Krasnojarsk, eine moderne Industriestadt von über einer Million Einwohnern. Sie wächst und wächst und baut immer weitere Industriekapazitäten auf. Die Klimaverhältnisse sind hier schon wesentlich angenehmer als in Urengoj etwa. Die billige Elektrizität erlaubt zudem einen vergleichsweise hohen Lebensstandard. Es gibt einen gewissen Komfort, samt Kultur und Sport. Man zeigte mir auch eine besondere Sorte Weizen, die in den kurzen Sommermonaten gedeiht.

So wird konsequent darin fortgefahren, Sibirien, die Schatzkammer, zu erobern und in moderner Form zu besiedeln. Hierzu dient auch die bereits erwähnte BAM, die Baikal-Amur-Magistrale, eine mehr als 3000 Kilometer lange Parallele zur alten Transsibirischen Eisenbahn der Zaren. Anfang der siebziger Jahre begonnen, wurde der Bau von der offiziellen Propaganda als große Pioniertat gepriesen. Die tagelange Fahrt nach dem Fernen Osten sollte damit um Stunden verkürzt, die Strecke um mehrere hundert Kilometer verringert werden. Neue Rohstoffvorkommen, darunter auch die riesigen Holzreserven Sibiriens, sollten erschlossen und an den Verkehr angebunden werden. Was man nicht sagte, war, daß die neue Bahnlinie auch eine strategische Bedeutung hatte. Damals, in den sechziger Jahren, gab es Spannungen mit dem chinesischen Nachbarn, es kam zu Kämpfen am Ussuri, und es galt, eine bessere Versorgung der Truppen an der sowjetisch-chinesischen Grenze sicherzustellen.

Doch ich bin ein bißchen abgeschweift und kehre nun aus dem fernen Sibirien wieder ins laute Moskau, in das Büro von Herrn Bajbakow, dem Leiter des Gosplan, zurück. Wir sprachen über die sowjetischen Rohstoffreserven und die Möglichkeiten eventueller Lieferungen sowjetischer Primärenergie in den Westen, darunter die Bundesrepublik. Die Begegnung war äußerst informativ und endete mit einer sehr menschlichen Note. Herr Bajbakow war bereits recht betagt, und ich fragte ihn, wie er es bei seinem enormen Verantwortungsbereich anstelle, körperlich so fit zu bleiben. Er verriet mir, daß er dies auf den Genuß selbstgezogener Zichorie zurückführe. Er ging an einen Schrank und gab mir von seinem Vorrat eine große Tube Zichorie mit der Bemerkung, dies sei Bajbakow-Eigenbau, und er könne mir, wenn ich davon regelmäßig einnähme, eine lange Gesundheit voraussagen.

Wenig später kam mir diese Unterredung aus einem anderen, weniger menschlichen Anlaß in Erinnerung. Das Eindringen sowjetischer Truppen in Afghanistan hatte die internationale Situation schlagartig verändert. Nicht nur die westlichen Demokratien, sondern auch die Länder der Dritten Welt waren über diese unerwartete militärische Aktion der Sowjets empört und erbost. Das Verhältnis zur Sowjetunion hatte andere Vorzeichen bekommen. Die Sowjetregierung hatte diese weltweit negative Reaktion offenbar nicht erwartet. Zunächst gab es keine plausible Begründung für die Invasion. Schließlich verfiel man auf die »brüderliche Hilfe auf dringendes Ersuchen Afghanistans«, um »einem militärischen Schritt der USA zuvorzukommen«.

Ich hatte bei meinem Aufenthalt in Moskau, wenige Tage vor der Invasion, weitere Verhandlungen für den Januar 1980 vereinbart. Sie sollten im Zusammenhang mit dem Wechsel der Leitung unserer Moskauer Repräsentanz bei Empfängen, wie sie die Sowjets mochten, geführt werden. Wir pflegten nämlich zu besonderen Anlässen alle Funktionäre aus den Ministerien und anderen Dienststellen, mit denen wir zu tun hatten, einzuladen und sie mit einem großen, von der Lufthansa gelieferten Buffet zu bewirten. Da gab es allerlei willkommene Extras: deutsches Faßbier in Steinkrügen, Weißwürste aus Bayern, Brezeln und was der deutsche Süden sonst zu bieten hat. Von früheren Empfängen wußten wir, wie sehr unsere sowjetischen Gäste all das genossen.

Es stand nun die Überlegung an, ob dieser vor dem Einmarsch in Afghanistan abgesprochene Termin aufrechterhalten werden konnte. Verschiedene internationale Verabredungen wurden im Januar 1980 annulliert. Der französische Kammerpräsident Chaban-Delmas, damals gerade zu einem Besuch in Moskau, hatte die Stadt aus Protest verlassen. In Paris traf sich Bundeskanzler Helmut Schmidt mit Präsident Valéry Giscard d'Estaing, um Maßnahmen gegenüber der Sowjetunion abzusprechen. Sie ließen es bei einer »letzten« Warnung bewenden.

Schließlich haben wir im Hause der Deutschen Bank entschieden, daß ich zwar zu den vereinbarten Verhandlungen nach Moskau fahren, der Aufenthalt von den vorgesehenen vier bis fünf Tagen aber auf das notwendigste Minimum, also auf etwa anderthalb Tage, verkürzt werden solle. Der Empfang anläßlich des Repräsentanten-Wechsels, zu dem bereits über achthundert Personen eingeladen waren, wurde von uns demonstrativ abgesagt. Das erregte in Moskau großes Aufsehen. Der sowjetische Botschafter Semjonow sollte überdies sicherstellen, daß ich bei meinem Aufenthalt in Moskau auf keinen Fall von der Presse ohne Abstimmung zitiert oder vom Fernsehen interviewt werden dürfe. Letzteres war sehr wichtig, denn aus für sie verständlichen Gründen waren die Sowjets darum bemüht, den ungeheuer negativen Eindruck, den ihr Einmarsch in der Welt, aber auch vor ihrer eigenen Bevölkerung gemacht hatte, abzumildern. Sie mußten also darauf bedacht sein, dem sowjetischen Publikum westliche Politiker und Geschäftsleute auf dem Bildschirm vorzuführen, um so dem Eindruck entgegenzuwirken, das Ausland boykottiere die Sowjetunion. Geschäftsleute aus der Bundesrepublik sind, wie mir berichtet wurde, auf dieses Ansinnen eingegangen und haben sich im Fernsehen interviewen lassen. Ich wollte jedoch auf keinen Fall hier als genehmer Zeuge für die »Harmlosigkeit« des afghanischen Abenteuers herhalten.

Herr Semjonow, mit dem ich stets außerordentlich offen und konstruktiv habe reden können, sagte mir das sogleich zu. Er wunderte sich aber, als ich ihn zwei Tage später erneut anrief und nachfragte, ob das Protokoll in Moskau auf meinen Wunsch hingewiesen worden sei. Er bestätigte mir das, fügte jedoch die Frage an, warum ich so mißtrauisch sei.

Als ich zum angegebenen Datum in Moskau landete und von einem mir bestens bekannten leitenden Herrn der Staatsbank am Flughafen abgeholt wurde, habe ich mir diesen dringenden Wunsch und die getroffene Vereinbarung noch einmal bestätigen lassen. Kurz darauf wurde ich gefragt, ob ich bereit wäre, am nächsten Morgen mit Ministerpräsident

Tichonow zusammenzutreffen. Ich antwortete: »Wenn Herr Tichonow dies wünscht, werde ich zur Verfügung stehen, wiederhole hier aber, daß das sein Wunsch ist und keine Nachricht über dieses Treffen ohne meine Kenntnisnahme erfolgen darf.« Das wurde mir zugesichert.

Am nächsten Morgen stand ich dann vor Herrn Tichonow, der nicht weniger streng war als beim letztenmal. Er empfing mich in aggressivem Ton und fragte mich, wie zuverlässig denn die Deutschen aus der Bundesrepublik in der Erfüllung geschlossener Verträge seien. Ich zeigte Unverständnis über diese Frage. Darauf entgegnete er: »Ich muß Sie dies fragen, nachdem wir gestern unterrichtet wurden, daß der Kanzler der Bundesrepublik und die Premierministerin des Vereinigten Königreichs die Lieferung von EG-Butter, vereinbart zwischen der Sowjetunion und der Administration der Europäischen Gemeinschaft, durch ihren Einspruch verhindert haben.« Ich mußte gestehen, daß ich davon noch nichts gehört hätte und überrascht sei.

Schließlich hatten wir andere, wichtigere Probleme: die Großlieferung von Naturgas gegen Einräumung eines hohen Kredits, zu verhandeln. Ich versuchte daher, diesen ersten Angriff des Premierministers, dem Klima nicht gerade zuträglich, mit der scherzhaften Entgegnung zu kontern, ich sei nicht nach Moskau gekommen, um mit ihm einen Butterkrieg zu führen. Wir sollten uns doch eher den wichtigen Fragen zuwenden. Dabei blieb es, und wir haben dann ohne weitere Emotionen miteinander gesprochen.

Am Abend war ich, wie so oft, mit unseren Gesprächspartnern von der Staatsbank im großen

Kreml-Theater, jenem riesigen Saal, in dem die vom Fernsehen gezeigten Sitzungen des Obersten Sowjet stattfinden. Es wurde eine mir bis dahin unbekannte Oper von Prokofjew gegeben, die den dramatischen Angriff Napoleons auf Moskau zum Inhalt hat und mit ungeheurem Aufwand an Statisten und Dekorationen über die Riesenbühne ging. Napoleon ritt auf einem Schimmel einher und erteilte seinen Generalen im effektvoll brennenden Moskau Befehle. Man sagte mir, daß diese Oper nur in der Sowjetunion gezeigt werde und daß dieses geschichtliche Ereignis von 1812 die Bevölkerung immer noch bewege.

Der Abzug der Franzosen war noch nicht in Sicht, als ich plötzlich aus der Loge gerufen wurde. Ich sah mich unserem Repräsentanten in Moskau gegenüber, der mir mitteilte, daß mein Besuch bei Ministerpräsident Tichonow in den Haupt-Fernsehnachrichten um 21 Uhr ausführlich geschildert worden sei. Es war sowjetischerseits also genau das getan worden, was ich hatte vermeiden wollen. Mein Begleiter von der Staatsbank, an dessen Seite ich zurückkehrte, bemerkte meine Unruhe. Kurze Zeit später verließ ich das Theater und machte keinen Hehl daraus, daß ein solches Vorgehen nach allem, was vorher vereinbart worden war, bei mir auf keinerlei Verständnis stieß. Ich würde, sagte ich ihm, soweit noch möglich, auf einer Korrektur bestehen.

Am nächsten Morgen erschien in der »Iswestija«, sozusagen unter Hofnachrichten, ein Bericht über meinen Besuch bei Herrn Tichonow mit dem Zusatz, dieser habe auf mein Verlangen stattgefunden. Auch dies war exakt der Wortlaut, den ich hatte vermieden sehen wollen, da ja eine dringende Bitte von Herrn

Tichonow zu dem Besuch geführt hatte. Daraufhin wurde ich erneut vorstellig und erklärte, daß diese Formulierungen gegen unsere schon in der Bundesrepublik mit dem sowjetischen Botschafter getroffene Abrede verstießen, die zudem bei meiner Ankunft in Moskau bestätigt worden sei, und ich deshalb erwarte, daß dieser Wortlaut abgeändert werde.

Ich fuhr verärgert zum Flughafen, um planmäßig zurückzureisen. Auf dem Wege dorthin konnte ich eine druckfrische Neuausgabe der »Iswestija« (es erscheinen deren drei am Vormittag) besorgen. Und siehe da, es stand zwar zu lesen, daß ich Herrn Tichonow einen Besuch gemacht hatte, aber es war sichtbar der Eindruck aus dem ersten Artikel, der Besuch sei auf meinen Wunsch zustande gekommen, korrigiert worden. Man erläuterte mir, eine solche Korrektur einer Meldung aus dem Kreml sei bisher noch von niemandem erreicht worden.

Nichtsdestoweniger war ich noch nicht am Ende meiner Überraschungen. Am Flughafen Frankfurt wartete ein Reuter-Korrespondent auf mich. Er teilte mir mit, man habe Mitteilung aus Moskau, wonach ich die Stadt unter Protest gegen den Einmarsch in Afghanistan verlassen hätte. Hier mußte ich nun einiges richtigstellen: Als Demonstration hatten wir die Dauer meines Aufenthalts in Moskau auf ein Minimum gekürzt und den großen Empfang völlig gestrichen; formell protestiert hatte ich gegen die Behandlung meines Besuchs in Presse und Fernsehen.

Das absprachewidrige Verhalten meiner sowjetischen Partner brachte mich aber auch anderweitig in eine mißliche Lage. Die deutschen Vertreter von Presse und Fernsehen in Moskau hatten mich schon bei meiner Ankunft wissen lassen, daß sie angesichts der durch die Afghanistan-Invasion gespannten Lage und Unsicherheit über die Reaktionen des Westens sehr daran interessiert wären, vor Abschluß meines Besuches meine Meinung zu erfahren. Sie wiesen darauf hin, daß sie bei früheren Gelegenheiten erst durch sowjetische Medien unterrichtet worden seien. Daher bäten sie dringend, von mir Informationen aus erster Hand zu erhalten. Ich fand diese Bitte durchaus verständlich, zumal die Zusammenarbeit zwischen sowjetischen und deutschen Medienvertretern damals noch sehr zu wünschen übrigließ. Trotz meiner ausdrücklichen Zusage, die deutschen Korrespondenten direkt zu unterrichten, erfuhren sie jetzt erneut Einzelheiten aus sowjetischen Quellen. Dies war mir nun wirklich unangenehm und bedeutete für mich zusätzlichen Ärger und Verdruß.

Gleich nach meiner Rückkehr rief mich mein Gesprächspartner, Herr Alchimow, Präsident der Gosbank und Mitglied des Kabinetts, in meinem Büro in Düsseldorf an. Er schilderte mir, daß meine Demarche in Moskau doch einigen Wirbel verursacht habe. Er sei jetzt in Sorge, nachdem hierüber schon in Radiosendungen, in Zeitungsüberschriften westlicher Länder berichtet worden sei, daß unser beiderseitiges, seit Jahren erfolgreiches Bemühen um eine gedeihliche Kooperation in Frage gestellt werde. Ich versicherte ihm, daß mir an letzterem nicht gelegen sein könne und ich bereit sei, die Verhandlungen in sachlicher Nüchternheit fortzusetzen; dies aber erst nach einer Pause, die zum Abklingen der Erregung und zum Nachdenken darüber dienen sollte, wie solche Irritationen in Zukunft vermieden werden könnten.

Von Alchimow wußte ich, daß er bei Schwierigkeiten immer wieder bemüht war, konstruktiv zu moderieren. Auf ihn und sein Verhandlungsgeschick war Verlaß. Wie ich überhaupt feststellen muß – und das hatte ich gerade in meinen Gesprächen mit Herrn Bajbakow so stark empfunden –, daß selbst in einem Geflecht scheinbar unüberwindbarer, ideologisch bedingter Gegensätzlichkeiten letztlich der persönliche Kontakt, der gegenseitig eingeräumte Vertrauensvorschuß und die Glaubwürdigkeit des einzelnen die Grundlage abgeben, um ein solches mehrere Milliarden umfassendes Geschäft allen Widrigkeiten zum Trotz zu einem Abschluß zu bringen.

Herr Alchimow und ich haben uns auch nach dem Zwischenfall meiner Moskaureise im Januar 1980 nicht entmutigen lassen, und wir haben gemeinsam unser Ziel erreicht. Sprachlich hatten wir keine Schwierigkeiten. Bei einem Besuch in meinem Hause in Meerbusch, zusammen mit Botschafter Semjonow, und nach einer kritischen Verhandlung im Parkhotel Krefeld konnte ich mich von dem beeindruckenden Grad seiner germanistischen Bildung und seiner Geschichtskenntnisse überzeugen.

Solche damals noch sehr seltenen persönlichen Begegnungen, bei denen die offizielle Politik außen vorblieb, ließen für Augenblicke vergessen, daß beide Lager sich fast pflichtgemäß vom Grundverständnis her in Konfrontation üben mußten. Wie sehr dies auch Ausdruck der offiziellen Politik war, wurde mir anläßlich des Staatsbesuchs von Leonid Breschnew im November 1981 bewußt. Beim großen Abendessen in der Godesberger Redoute umriß Bundeskanzler Helmut Schmidt in einer für mich äußerst eindrucksvollen

7

8

Erste Reise westlicher Bankiers in die Kohlefelder von Kansk-Atschinsk, 1983
Auf dem Hubschrauber-Landeplatz von Nowyj Urengoj

Besichtigungsreise ins Sperrgebiet von Baikonur:
9 DB-Vorstandsmitglieder F. W. Christians und Georg Krupp mit einer deutschen Delegation vo dem multinationalen Forschungssatelliten, der im Herbst 1988 zum Saturn gestartet wurde.
10 Vor dem Haus des »Vaters der sowjetischen Kosmonautik«, Professor Koroljew, in Baikonu Links: Drei-Sterne-General German Titow, ehemaliger Kosmonaut

11

12

13

edenskongreß in Moskau im Februar 1987:
Mit Armand Hammer, dem Altmeister und Patriarchen im Ostgeschäft
Mit Ministerpräsident Nikolaj Ryschkow. Halb verdeckt: Otto Wolff von Amerongen, Präsi-
nt des Ost-Ausschusses des Deutschen Industrie- und Handelstages
Während der Schlußansprache von Generalsekretär Michail Gorbatschow

14 Vortrag im Internationalen Wissenschaftsinstitut »Imemo«, das man in Moskau »das Fenst
zum Westen« nennt

Rede die Politik der Bundesrepublik Deutschland angesichts der zunehmenden Bedrohung durch sowjetische SS-20-Raketen. Breschnew dagegen begnügte sich mit altbekannten Erklärungen, die eher nach Ausreden klangen, und brachte keinerlei konstruktive Gedanken vor. Wer Gelegenheit hatte, die finsteren und unbewegten Gesichter von Breschnew und Gromyko zu beobachten, konnte nicht gerade Hoffnung schöpfen, daß die so oft beschworene Politik der Entspannung je Wirklichkeit werden könnte.

Als Ausweg die Kunst

Auch Botschafter Wladimir S. Semjonow sprach hervorragend Deutsch.

Während seines langen Wirkens als sowjetischer Botschafter in Bonn bin ich ihm häufig begegnet. Er war mein ständiger offizieller Gesprächspartner. Als er 1978 nach Bonn kam, machte ich ihm einen Antrittsbesuch und traf neben ihm auch seine Frau und seine jüngste Tochter. Semjonow erklärte mir damals, daß diese Mission in der Bundesrepublik wahrscheinlich die letzte seiner beruflichen Karriere sei. Mit der Bundesrepublik, und überhaupt mit Deutschland, fühle er sich seit langem verbunden, und er habe sich vorgenommen, seine Tätigkeit in Bonn der besseren Verständigung der beiden Völker zu widmen und einen erkennbaren Fortschritt im Verhältnis beider Staaten zu erreichen.

Herr Semjonow hatte in der Tat eine lange Karriere im Außenamt der Sowjetunion durchlaufen, bis hin zum stellvertretenden Außenminister. 1939, als Molotow und Ribbentrop sich in Berlin trafen, um wenige Tage vor Kriegsausbruch am 1. September das deutsch-sowjetische Abkommen zu unterzeichnen, war er Sekretär an der sowjetischen Botschaft. Herr

Semjonow war auch Verhandlungsführer der Sowjetunion bei den »SALT-I«-Gesprächen in Genf.* Er war es, der damals dieses wichtige Abkommen mit den Vereinigten Staaten ausgehandelt und unterschrieben hat. Bei einem Essen bei mir zu Hause in Gegenwart verschiedener am Handel mit der Sowjetunion besonders interessierter Herren der Industrie nach »SALT I« gefragt, hat mir Herr Semjonow auf einer Menükarte in wenigen Augenblicken die wichtigsten Eckpunkte dieses Abkommens demonstriert. Die Art, wie er den Gang der Verhandlungen und deren Ergebnis darstellte, war imponierend.

Bei diesem Essen gab es noch eine amüsante Begebenheit am Rande. Zu meinen Gästen zählte auch Heinz Nixdorf aus Paderborn. In seiner direkten, unverblümten Art erzählte er Herrn Semjonow, daß er sich für diesen Abend und das Gespräch mit Informationen habe versorgen lassen. Wer denn der neue sowjetische Botschafter sei, hätte ihn besonders interessiert. In der ihm zugegangenen Notiz habe sein Büro erwähnt, daß Herr Semjonow »schon 1939 in Berlin unter den Linken« gewesen sei. Den jungen Leuten sei da offensichtlich eine Verwechslung passiert; natürlich hätte es heißen müssen: »unter den Linden«. Herr Semjonow amüsierte sich köstlich über diese Geschichte.

Der erfahrene Diplomat war indes, wie ich beobachten konnte, nicht frei von Verlegenheit. Nach dem

* SALT: Abkürzung für Strategic Arms Limitation Talks, zu deutsch: Gespräche über die Begrenzung strategischer Waffen. Diese Gespräche erfolgten in zwei Phasen, die mit den Ziffern I und II gekennzeichnet werden. SALT I begann 1969 und endete mit dem SALT-I-Abkommen (treaty) von 1972.

Einmarsch in Afghanistan am 27. Dezember 1979 habe ich ihn Anfang Januar 1980 mehrfach aufgesucht, um mir diese schockierende Aggression der Sowjetunion gegen ein wehrloses Land erläutern zu lassen. Ich wollte wissen, wie er unsere Reaktion darauf beurteilte. Herr Semjonow gab mir Erklärungen, die mich nicht überzeugten. Und ich sagte ihm dies auch.

Von Herrn Semjonow erfuhr ich an mehreren Tagen hintereinander, sozusagen scheibchenweise, Widersprüchliches. Bis man sich in Moskau auf eine endgültige Formulierung festgelegt hatte, waren die Irritationen in der Welt schon weit fortgeschritten.

Im Fall Afghanistan bestätigte sich einmal mehr, was ich schon oft beobachtet hatte: Diese streng zentralistisch regierte Sowjetunion tat sich schwer, zu überraschenden Ereignissen mit Auswirkungen aufs Ausland eine Sprachregelung zu finden, mit der sie sich überall, vor allem vor der eigenen Bevölkerung, sehen lassen konnte. Eine freie Presse gab es nicht. Man kannte nur die zentrale Meinungsbildung, offiziell formuliert und von Brest-Litowsk bis Wladiwostok gültig. Es fehlt jegliche Anpassungsfähigkeit. Ein schnelles redaktionelles Reagieren war zumindest damals undenkbar. Einmal abgefaßt und zur Weitergabe im ganzen Land freigegeben, hatte eine offizielle Wertung ein sehr langes Leben. Ergaben sich inzwischen andere Merkmale, die es nahelegten, diese Wertung zu korrigieren oder auch nur abzumildern, war es außerordentlich schwierig, eine Neuformulierung zu erzielen und diese dann in der weiten Sowjetunion als neue Sprachregelung durchzusetzen. An irgendeinem Punkt der entlegensten Regionen des Landes eine zeitnahe, kompetente Meinung zu erfahren war nahezu unmöglich, solange die in der fernen Zentrale formulierte offizielle Meinung noch nicht verfügbar war.

Umgekehrt allerdings wirkte die durchgehende Interpretation eines bestimmten Ereignisses auch prägend auf die Meinung eines ganzen Landes. Ein Beispiel hierfür lieferte der Abschuß eines koreanischen Passagierflugzeuges in der Nähe von Sachalin Anfang September 1983. Die Welt war zu Recht alarmiert. Moskau hingegen sprach von einem offensichtlich schweren Fall von militärischer Spionage.

Schon bald war jedoch zu hören, daß der damalige Generalsekretär Andropow mit der Überreaktion der Militärs nicht einverstanden gewesen sei und entsprechende Rügen erteilt habe. Der Vorfall soll ihm, der längst entschlossen war, behutsam einen großangelegten Entspannungsplan durchzusetzen, schwer zu schaffen gemacht und seine bereits weit fortgeschrittene Krankheit beschleunigt haben. Nur hierauf sei zurückzuführen, daß es keine strengeren Konsequenzen im Inneren gegeben habe. Andropows Niedergeschlagenheit ob der Mißstände in der Regierung und im ganzen Lande habe mit zu seinem frühen Tod beigetragen.

Zum Zeitpunkt des Dramas bei Sachalin war ich in Australien. Ich hatte es übernommen, vor einer größeren Gesellschaft in Melbourne über das Ost-West-Verhältnis zu sprechen. Die Diskussion konzentrierte sich schnell auf diesen Vorfall, der in der ganzen Pazifik-Region höchste Unruhe ausgelöst hatte. Viele wollten im Abschuß des koreanischen Jets einen feindlichen Akt der Sowjetunion sehen, der gerade diese Gegend der Welt, die sich bisher verhältnismäßig sicher wähnte, der Gefahr aussetze, in das Kalte-Krieg-Szenario einbezogen zu werden. Es war schwer, die aufgebrachten Diskutanten im Saal zur Ruhe zu bringen. Meine Argumentation lautete etwa folgendermaßen: »Die Sowjetunion hat ein übersteigertes Sicherheitsbedürfnis. Trotz der Weite des Landes erzeugt jede Grenzverletzung – sei es in Europa, sei es in Asien – Unruhe und sofortige Gegenmaßnahmen. Hier liegt meines Erachtens ein Akt aggressiver Verteidigung vor, der aufgrund der aufgebrachten Weltmeinung wohl sehr bald von der sowjetischen Führung selbst als Überreaktion empfunden werden wird. Den Beginn einer feindseligen Bedrohung dieser Ihrer Region kann ich darin nicht erkennen.« Später stellte sich dann heraus, daß die sowjetische Führung exakt aus der von mir dargelegten Motivation heraus gehandelt hatte.

Botschafter Semjonow – um zu ihm zurückzukommen – hatte eine sehr sympathische Seite, die uns beiden bei Kontroversen mehrfach geholfen hat. Wenn Semjonow und ich uns im Gespräch festhakten, was in jenen Jahren oft vorkam, dann unterhielten wir uns über Kunst. Er wußte, daß ich seit langem russische vorrevolutionäre Kunst sammelte, und überdies war er selber ein eifriger Sammler. Als er, wie geschildert, zusammen mit Herrn Alchimow von der Gosbank in meinem Hause in Meerbusch zu Besuch war, hatten wir Gelegenheit, über meine im Aufbau befindliche Sammlung russischer Avantgarde zu diskutieren. Etwa zehn Jahre vorher, als ich sowjetische Banker bei mir zu Gast hatte, stieß ich bei ihnen auf völliges Unverständnis mit meinen russischen Bildern aus der Zeit vor und kurz nach der Revolution. Einer meiner

Gäste meinte sogar einem Mitarbeiter gegenüber – mich selbst wollte er als Gastgeber offenbar schonen –, ich könnte mir doch gewiß etwas Besseres leisten.

Auf den langen, beschwerlichen Weg zurück zur Anerkennung, den diese Künstler seit Stalins Bannfluch 1924 gehen mußten, komme ich noch zu sprechen. An dieser Stelle sei nur so viel erwähnt, daß Herr Semjonow eine für einen sowjetischen Funktionär geradezu ungewöhnlich reiche und vielfältige private Kunstsammlung besaß. Mit einem gut gemachten Katalog hat er dies auch der Öffentlichkeit angezeigt. Wenn man ihn darauf ansprach, unterließ er es nicht, darauf hinzuweisen, daß dies nur ein Teil seiner Bilder sei und er in Moskau noch viel mehr vorzuweisen habe. Extravaganzen im marxistisch-bolschewistischen System waren und sind immer möglich. Aber hier wurden sie ohne Scheu und mit ebensoviel Charme wie Kunstsinn vorgetragen.

Wenn wir über einen Sachgegenstand kontrovers diskutierten, uns aber nicht streiten wollten, nahm er mich am Arm und führte mich durch die weiträumigen Zimmer seiner Residenz. Fast immer konnte er mir ein neues Bild zeigen und erläutern, und die vorherige Spannung löste sich so vollkommen auf, daß ich mich in versöhnlichem Ton verabschieden konnte.

So geschah es auch, als 1983 die Nachrüstung der Bundesrepublik mit amerikanischen Pershing-II-Raketen anstand. Herr Semjonow hatte mir mehrfach deutlich gesagt, daß es erhebliche Nachteile für unsere, auch von mir so konsequent geförderten Wirtschaftsbeziehungen geben werde, wenn die Bundesregierung bei ihrem Stationierungsbeschluß bleibe.

Kurz vor der entscheidenden Bundestagsdebatte erschien Herr Semjonow in meinem Düsseldorfer Büro. Wir hatten uns auf das Thema »Intensivierung der Kulturbeziehungen zwischen beiden Ländern« vorher verständigt. Konkret sollte über einen Austausch von darstellender Kunst gesprochen werden. Dazu kam es aber kaum. Was Herrn Semjonow sichtlich sehr viel mehr bewegte, war wieder einmal das Thema Pershing II. Als ich mich weigerte, seine Argumentation zu übernehmen, rief er in fast komischer Verzweiflung aus: »Ja, glauben Sie denn wirklich, Herr Christians, daß die Sowjetunion mit ihren SS-20-Raketen Düsseldorf vernichten möchte?« Ich erwiderte, daß es meiner Ansicht nach darauf gar nicht ankomme. Beunruhigend sei allein die Tatsache, daß hier entgegen allen von Generalsekretär Breschnew dem Bundeskanzler Helmut Schmidt gegebenen Versicherungen, in der Sowjetunion würden keine weiteren Raketen aufgestellt, ein neuer bedrohlicher militärischer Tatbestand geschaffen worden sei. Dieser Tatbestand bedrohe die Bundesrepublik auch politisch. Es sei dabei unnötig zu fragen, ob etwa diese oder jene deutsche Stadt damit ausgelöscht werden solle. Am Schluß kamen wir dann doch noch auf die Kunst zu sprechen, und wir trennten uns, wie üblich, in versöhnlichem Ton.

Die gemeinsame Vergangenheit holt uns ein

Seit jenem ersten Besuch in Moskau, im Dezember 1969, hatten mich die Erinnerungen an meine Kriegszeit in Rußland nie wieder losgelassen. Im Gegenteil: Sie begannen ein merkwürdiges Eigenleben zu führen. Mehr als drei Jahre hatte ich am sogenannten Rußlandfeldzug teilgenommen, mit mehreren Verwundungen, und das im Alter von knapp zwanzig. Die ungeheuren physischen und psychischen Belastungen dieser Zeit hatten mich, ohne daß ich mir dessen bewußt war, nachhaltig geprägt. Später war ich auch eine Zeitlang an der Normandiefront, wo uns ein ganz anderer Gegner, mit ungeheurer materieller Überlegenheit, gegenüberstand; aber dort gab es nicht das bedrückende Gefühl eines ideologischen Kampfes, welches das Besondere am Krieg in Rußland ausmachte. So kommt es wohl, daß kaum ein ehemaliger Kriegsteilnehmer ohne Herzklopfen in die früheren Kampfgebiete gereist ist. Ich kenne viele von ihnen, die es immer noch nicht übers Herz bringen, sich etwa als Touristen in die Sowjetunion zu begeben.

In den ersten Jahren meiner Moskau-Kontakte wurde das Thema »deutscher Angriff auf die Sowjetunion« von beiden Seiten schonend ausgeklammert. Erst eine zufällige Begebenheit beendete 1972 diese Zurückhaltung. Zu dieser Zeit stand die Errichtung eines Hüttenkombinats durch die Firma Krupp im Gebiet von Kursk zur Diskussion. Am Ende eines langen Verhandlungstages saß ich beim Abendessen einem hohen Funktionär, einem der stellvertretenden Vorsitzenden des Gosplan, gegenüber. Diese Institution hatte ich inzwischen wegen ihrer Bedeutung für Großprojekte im Rahmen der Fünfjahresplan-Vorbereitung als allmächtig einzuschätzen gelernt. Ich fragte meinen Gesprächspartner, wo denn dieses große Hüttenwerk errichtet werden sollte. Er antwortete, es sei bei Kursk. (In der Tat ist es dann auch dort gebaut worden.) Als ich mich mit dieser vagen Ortsangabe nicht zufriedengeben wollte, wunderte er sich über meine Insistenz. Aus den von ihm schon genannten näheren Einzelheiten hatte ich unschwer erkennen können, daß es sich um eine Gegend handeln mußte, in der ich im Kriege zweimal, sozusagen hin und zurück, gekämpft hatte, und jedesmal in schweren Gefechten, bei denen die Ortschaften mehrfach den Besitzer wechselten. Dies nannte ich dann meinem sowjetischen Gegenüber als Grund für meine hartnäckige Neugier.

Mein Gesprächspartner reagierte zunächst völlig überrascht. Dann wurde er nachdenklich und still. Schon glaubte ich, eine kaum vernarbte Wunde in ihm aufgerissen zu haben. Unvermittelt fragte er, ob ich einen Sohn hätte. Er habe einen Sohn von achtzehn Jahren. Ich entgegnete, der meine sei siebzehn. Nach einer kurzen Pause erzählte mein Tischnachbar, daß er zu der nämlichen Zeit an demselben Ort als sowjetischer Soldat gekämpft habe. Dann stand er auf, setzte ein feierliches Gesicht auf und nahm sein Glas. »Wir wollen anstoßen und uns gegenseitig versprechen, alles in unserer Macht Stehende zu tun, daß unsere Söhne niemals das ertragen müssen, was wir in jungen Jahren erfahren mußten.«

Ich muß gestehen, daß mich dieses unerwartete Erlebnis stark beeindruckt hat. Von nun an fühlte ich mich entspannt und weniger befangen, über die Schrecken jenes grausamen Krieges mit der anderen Seite zu sprechen. Da viele meiner damaligen und späteren Gesprächspartner derselben Generation angehörten, war nur zu natürlich, daß diese gemeinsame Erfahrung nicht ausgespart werden konnte.

Viele Jahre später, im Frühjahr 1985, traf ich zum erstenmal mit dem neugewählten Generalsekretär Michail Gorbatschow zusammen. Auch er fragte mich sofort nach meinen Kriegsjahren in seinem Land.

Fest steht, daß der Krieg, der »Große Vaterländische Krieg«, viel stärker und viel länger im Bewußtsein der sowjetischen Nation verankert blieb als in dem der deutschen. Die Erinnerung an ihn wurde und wird geradezu gepflegt, und zwar aus vornehmlich zwei Gründen: Zum einen konnten mit dem Hinweis auf die riesigen Verluste an Menschen (angabegemäß zwanzig Millionen) und die Zerstörung von Städten und Industrieanlagen der zögerliche Wiederaufbau und die anhaltend schlechte Versorgung begründet werden; zum anderen galt es, die Wachsamkeit gegenüber dem kriegs- und eroberungslüsternen Westen, so die Sprachregelung, aufrechtzuerhalten, was wiederum einen hohen und teuren Rüstungsstand erforderte und zugleich rechtfertigte.

Wie hochsensibel die Bevölkerung diese angebliche Kriegsgefahr einschätzte, erfuhr ich aus einer Begebenheit, die mir in Erinnerung geblieben ist. Das sowjetische Fernsehen hatte mehrere Folgen einer Sendung über einen möglichen künftigen Atomkrieg angesetzt. Es sollten praktische Verhaltensweisen demonstriert werden, wie man etwa bei Alarm ruhig und diszipliniert unter Mitnahme bestimmter Hilfs- und Schutzmittel den nächsten U-Bahn-Schacht (in Moskau besonders tief und großflächig) aufzusuchen habe. Der Film war indes so realistisch angelegt, daß die Menschen teilweise in Panik gerieten, weil sie den Ernstfall annahmen. Es gab eine lebhafte Diskussion, und die Sendung wurde abgesetzt.

Der Name »Stalingrad« ist auch den Jüngeren in unserem Lande, und darüber hinaus in der ganzen Welt, ein Begriff. Er steht für die Zeitenwende im Zweiten Weltkrieg, als sich die Fortüne der deutschen Waffen zu neigen begann. Schon längst heißt die Schicksalsstadt der Russen und Deutschen nicht mehr so. Sie wurde nach dem Fluß umbenannt, an dem sie liegt: in Wolgograd. Ihr früherer Name aber, den die Franzosen z. B. einem Boulevard im Norden ihrer Hauptstadt gegeben haben, gilt in den einst besetzten Ländern unseres Kontinents noch heute als Symbol des Beginns ihrer Befreiung.

1986 war ich als deutscher Delegationsleiter der gemischten Bankenkommission im Rahmen unserer Jahrestagung in Wolgograd, das den Ehrentitel »Heldenstadt« trägt. Es ist heute eine Industriemetropole mit endlosen, wie mit dem Lineal gezogenen Boulevards und vielen Grünanlagen. Aber überall stößt man noch auf Orte, die an die verbissenen Kämpfe im

Herbst und Winter 1942/43 erinnern. Unsere Delegation wurde feierlich und eindrucksvoll vom Vorsitzenden des Distrikts und den Stadtoberhäuptern begrüßt. Als Erinnerung an den Besuch überreichte man mir eine Miniatur der »Mutter Rußland«, jener gewaltigen Statue einer Frau, die mit hoch erhobenem Schwert auf der Spitze des seinerzeit heißumkämpften Mamaia-Hügels im Norden der Stadt steht und weithin die steppenartig flache Landschaft am Unterlauf der Wolga beherrscht.

Dann bedeutete man uns, daß die sowjetische Delegation sich nun zum Denkmal für die Helden der Roten Armee begeben werde, um einen Kranz niederzulegen. Ich erfuhr dabei von einem Regierungsdekret, welches vorschreibt, daß Regierungsmitglieder bei Besuchen in einer Stadt, welche als »Heldenstadt« ausgezeichnet ist, jeweils eine entsprechende Ehrung vorzunehmen haben. Mein sowjetischer Co-Chairman war Kabinettsmitglied. Ich ließ meine Gastgeber wissen, daß die deutsche Delegation die sowjetische bei diesem Akt in angemessenem Abstand begleiten werde. Ich bäte um Verständnis dafür, daß wir bei dieser Gelegenheit auch der deutschen Soldaten gedenken würden, die an diesem Ort gefallen seien. Das löste bei den Sowjets zunächst einiges Erstaunen aus. Der uns begleitende Repräsentant der deutschen Botschaft in Moskau raunte mir zu, ein solches Ansinnen sei bisher nicht ausgesprochen worden. Auch habe das Auswärtige Amt in Bonn solches nicht vereinbart. Ich entgegnete, ich sei kein Beamter, sondern der verantwortliche Leiter einer deutschen Bankendelegation und hielte im übrigen einen solchen Wunsch als ehemaliger Kriegsteilnehmer für angemessen. Meinen sowjetischen Partnern gab ich eine ähnliche Erklärung. Ich fügte hinzu, daß wir alle zusammen, Deutsche und Sowjets, nun schon mehrere Tage in gemeinsamen Gesprächen verbracht hätten. Jeden Morgen habe uns die sowjetische Seite darauf hingewiesen, wie wichtig unsere Arbeit im Sinne eines besseren Verhältnisses und der Friedenssicherung sei. Dieser Ort Stalingrad nun sei wie kein zweiter das tragische Symbol für die Leiden, die Russen und Deutsche einander zugefügt hätten. Daher bedürfe es gerade an diesem Ort versöhnlicher Gesten, wie ich sie vorzuschlagen mir erlaubt hätte.

Die Sowjets äußerten Verständnis für meinen Wunsch, nachdem sie eine Weile nachgedacht und sich besprochen hatten. Und so fand die feierliche Kranzniederlegung mit unserer Beteiligung statt. Sowjetische Passanten waren auf die Zeremonie aufmerksam geworden und beobachteten die Szene. Das Heldendenkmal hatte man in einem kleinen Park errichtet, unweit der Stelle, an der sich einst, in den Trümmern eines Kaufhauses, der letzte Gefechtsstand des Generalfeldmarschalls Paulus, Oberbefehlshaber der eingekesselten 6. Armee, befunden hatte. Paulus war, um seinen Widerstandswillen zu stärken, noch unmittelbar vor der Kapitulation, Ende Januar 1943, von Hitler zum Marschall befördert worden. Man zeigte mir das Namensschild der Straße, an der das Kaufhaus gestanden hatte: »Friedensstraße«. So heiße die Straße nicht erst jetzt, sondern schon seit 1944, also seit Kriegszeiten.

Nach der Kranzniederlegung am Heldendenkmal begaben wir uns zum Mamaia-Hügel und stiegen langsam und feierlich gemeinsam die Stufen hinauf, hinweg über einen Boden, der gnädig die zerfetzten Reste von Kriegern beider Seiten deckt. Die Kuppe des Hügels ist gekrönt von einer Rotunde, in deren Wände die Namen von Tausenden hier gefallener Sowjetsoldaten in goldenen Lettern eingraviert sind. In der Mitte reckt sich eine Riesenfaust mit einer ewigen Fackel empor. Bei getragener Musik schreiten die Besucher, sichtlich berührt, in einer endlosen Prozession die spiralförmigen Stufen empor. Die Musik, die gerade zu hören war, die »Träumerei« von Schumann, sei ebenfalls als eine Geste der Versöhnung gedacht, ließ man mich wissen.

In Stalingrad gibt es ein Kriegsmuseum. Es enthält in weitläufigen, teilweise unterirdischen Anlagen bis ins Detail gehende Darstellungen des Schlachtablaufs, unter Verwendung von Originalwaffen und Ausrüstungsgegenständen beider Armeen. In den Kommentaren des Aufsichtspersonals gibt es keine Spur von Polemik. Sowjetische Besucher, vielleicht aber auch deutsche, sollten Wolgograd als Mahnmal gegen eine allzu willfährige Vergeßlichkeit ansehen.

Noch eine andere Begebenheit ließ die furchtbaren letzten Tage des Krieges in mir wieder lebendig werden. Im Februar 1987 veranstaltete Generalsekretär Michail Gorbatschow den sogenannten Moskauer Friedenskongreß, auf den ich an anderer Stelle noch eingehe. Bei dieser Gelegenheit fragte mich der Chef des sowjetischen Bankwesens, der schon mehrfach erwähnte Herr Alchimow, ein »Held der Sowjetunion«, ob ich ihm nicht eine Beschreibung des alten Königsberg, heute Kaliningrad, besorgen könnte. Wie er gerade auf diese Stadt komme, wollte ich wissen. Er habe im Frühjahr 1945 dort gekämpft, sagte er, und an der Eroberung der Stadt teilgenommen. Nun war das Staunen an mir, denn im Winter und Frühjahr desselben Jahres hatte ich ebenfalls dort gekämpft. Mitte April 1945 war der gnadenlose Endkampf um die gemarterte Stadt, den ich mit meiner Einheit von jenseits des Pregel verfolgte, zu Ende gegangen. Das Hinterland von Königsberg, das sogenannte Samland, kam erst später »an die Reihe«. Jetzt saß der hochdekorierte ehemalige sowjetische Offizier neben dem ehemaligen deutschen Offizier. 1987 hatten wir schon mehr als zehn Jahre von gegenseitigem Respekt getragener Zusammenarbeit hinter uns. Und nun holten wir, blitzlichtartig, diese schreckliche Vergangenheit zurück in die Gegenwart.

Es war schon eigenartig. Dieser Krieg in Rußland hat – ich kann es nur so ausdrücken – zwei menschliche Seiten für uns Deutsche. In Alchimow saß mir ein Vertreter der Roten Armee gegenüber, die wir damals schonungslos und, wie gesagt, in ideologischer Verkrampfung bekämpften und die auch uns nicht das geringste schenkte. Aber während wir als feindliche Eindringlinge in jenem Lande weilten, lernten wir notgedrungen auch seine Bewohner kennen, deren Dörfer und Katen, deren Eigentum wir in Besitz nahmen. Darüber ließe sich manches erzählen, doch möchte ich mich auf die Schilderung einer Begebenheit beschränken, die mir bis heute deutlich gegenwärtig geblieben ist.

Der frühe und ungewöhnlich harte Winter 1941/42 ist oft als *das* verantwortliche Naturereignis für das Festlaufen der deutschen Offensive vor Moskau beschrieben worden. In der Tat hat er Schwierigkeiten und Überraschungen gebracht, auf die wir ganz und gar nicht vorbereitet waren. Bei Kältegraden von 30 Grad und mehr unter Null, bei eisigen Ostwinden kam es in diesem flachen, tiefverschneiten Land mehr auf das nackte Überleben als auf weit angelegte Operationen an. Die kreatürlichen Bedürfnisse des Menschen gewannen die Oberhand, allen voran der Drang nach Wärme. Für die Truppe im Einsatz bestand die einzige Möglichkeit davonzukommen darin, zu den einheimischen Bauern in ihren armseligen Behausungen mit unterzukriechen.

Die meist aus Lehm gebauten Hütten wurden frühzeitig im Herbst winterfest gemacht. Es gab mindestens Doppel-, wenn nicht Dreifachfenster, von kleinen Dimensionen, um dem Wind nicht zuviel Angriffsfläche zu bieten. Die Ritzen wurden mit Streifen aus »Prawda«-Papier abgedichtet. Holz und getrockneter Viehdung lagerten unter dem Ofen. Die ganze Familie, von der Großmutter bis zum Säugling, nebst dem Kleinvieh wie Huhn oder Ferkel, machte es sich auf oder unter dem breiten Ofen bequem. Dieser Ofen, weiß gekalkt, nahm den meisten Platz in der Kate ein, und diese wiederum war buchstäblich um ihn herumgebaut. Man zog an Kleidung an, was man hatte, und stellte sich auf Monate eines solchen Verweilens ein.

Wir paßten uns diesem Alltag auf engstem Raum an. Dabei konnte nicht ausbleiben, daß wir miteinander in menschlichen Kontakt kamen und das Nötigste zum Leben teilten. Oft gaben wir von unserer Verpflegung ab, die keinesfalls immer sicher war. Die Frauen wuschen unsere Wäsche und halfen uns im Kampf gegen die unvermeidlichen Läuse, gefürchtet wegen der Übertragungsgefahr von Flecktyphus. Ihre

Waffe gegen die Läuseplage waren überdimensionale, äußerst wirksame Bügeleisen, die mit Glut aus dem Ofen aufgeheizt wurden.

Immer wieder gab es Alarm, und wir mußten hinaus in die Kälte und uns gegen die anstürmenden Russen wehren. In diesen Wintermonaten wurden wir auch oft von hervorragend geschulten Sibiriaken angegriffen, die sich uns lautlos, auf Skiern und im Schneehemd näherten. War die Attacke abgeschlagen, krochen wir schnell wieder in die Wärme unserer »Quartiermeister« zurück.

Damals ist mir der ganze Widersinn dieses Krieges aufgegangen. Wir hatten gerade noch die Fürsorglichkeit einer mütterlichen russischen Bäuerin erlebt, um dann von ihrem Herd loszustürmen und auf ihre Landsleute – vielleicht ihre Söhne – zu schießen. Eine schizophrene Situation, die mir als jungem Leutnant von neunzehn Jahren sehr zu schaffen machte! Bis heute habe ich vor der einfachen, frommen russischen Bauersfrau eine große Achtung.

Ein wenig über Land und Leute

Bei meinen ersten Aufenthalten in Moskau im Winter 1969/70 fiel mir auf, wie stark sich das Erscheinungsbild der Menschen in der sowjetischen Hauptstadt von dem der Bewohner anderer Hauptstädte unterschied. Damals gab es im Moskauer Stadtverkehr so gut wie keine Privatautos. In den zahlreichen schwarzen Staatslimousinen saßen ausschließlich Funktionäre. Der Standardtyp war der »Moskwitsch«, für höhere Chargen gab es den »Wolga«, und für die allerhöchsten Ränge der Nomenklatura stand die sehr geräumige, sechs- bis achtsitzige »Tschajka« zur Verfügung. Sie war dem Modell großer amerikanischer Luxuslimousinen der fünfziger Jahre nachgebildet und ausgiebig mit Chrom versehen. Später wurde diese repräsentative Karosse, die man morgens oft an den Einfahrten der Kremltore beobachten konnte, durch eine neue Version ersetzt, die dem amerikanischen Lincoln nachempfunden war.

Im Laufe der Jahre avancierte ich zum Staatsgast, dem eine solche »Tschajka«, manchmal sogar mit Blaulicht und Begleitwagen, zugewiesen wurde. Auch bei meinen Fahrten in entferntere Sowjetrepubliken, wie Armenien, Georgien, Aserbeidschan oder Usbekistan, behielt man diese Vergünstigung bei. So bequem die Fortbewegung in einem solchen Gefährt in der Hauptstadt oder der Provinz auch war, so unangenehm, ja peinlich waren deren Umstände für den ausländischen Gast. Schon beim Auftauchen einer »Tschajka« machten die Passanten ohne weiteres Platz. Auf Fernstraßen oder Landstraßen sorgte die Blaulicht-Eskorte dafür, daß alle entgegenkommenden Fahrzeuge, Lastwagen, Personenwagen oder Pferdefuhrwerke, rechts an den Straßenrand drängten und hielten, bis der Konvoi vorbei war. Wer nur einen Augenblick zögerte, wurde brüsk zur Rede gestellt oder aufgeschrieben.

Das unangenehme Gefühl einer solchen Bevorzugung versuchte ich dadurch zu kompensieren, daß ich ein betont freundliches Gesicht aufsetzte oder den respektvoll wartenden Passanten zuwinkte. Aber bald merkte ich, daß ein solches Verhalten auf Unverständnis stieß. Über Jahrzehnte hinweg, seit der Zarenzeit und der Revolutionsherrschaft, wurden Vorrechte in diesem Lande klaglos und wie selbstverständlich hingenommen.

Die Chauffeure solcher »Großraumwagen« für Privilegierte sind meist rücksichtslos im Wahrnehmen ihrer Vorrechte, wodurch der inzwischen erheblich dichter gewordene Verkehr immer gefährlicher wird. Bei den Moskowitern gilt der Spruch: Wer die Straße bei »Grün« überquert, läuft Gefahr, überfahren zu werden; auf einem Zebrastreifen hat er Anspruch darauf.

Hier sei ein kleiner Exkurs erlaubt: Was die Betreuung durch meine Partner angeht, so war sie sowohl bei meinen zahlreichen Aufenthalten in Moskau wie auch auf meinen Reisen durchs Land immer geradezu vorbildlich: von der Ankunft bis zum Abflug. Das galt insbesondere, wenn ich von meiner Familie begleitet wurde. Nicht nur meine Frau, auch mein Sohn und meine Tochter wollten von Zeit zu Zeit persönlich in Augenschein nehmen, was der Familienchef auf all den vielen Reisen in das rätselhafte Land unternahm – Reisen, die ja häufig Gegenstand von negativen und vorwurfsvollen Kommentaren waren. So gesehen war ihr Dabeisein nicht nur Neugier, sondern auch Ausdruck einer gewissen Solidarität in einer nicht immer einfachen Situation. Die Freude wurde freilich nicht selten durch Beobachtungen getrübt, wie Nicht-Privilegierte rücksichtslos und manchmal auch schikanös behandelt wurden.

Es hat sogar Zeiten gegeben, in denen meine Familie geradezu wünschte, daß ich so oft wie nur möglich in die Sowjetunion fuhr: Es waren die Jahre nach den grausamen Terrormorden von 1977 an führenden Persönlichkeiten des öffentlichen Lebens. Damals mußte auch ich mich bedroht fühlen und den Sicherheitsanordnungen des Bundeskriminalamts folgen, was bedeutete, daß ich mich nur im Ausland relativ frei bewegen konnte. Staunend beobachteten ausländische Geschäftspartner und Gäste, wie ich in meinem eigenen Büro durch Wachtposten vor der Tür abgeschirmt wurde.

Der stellvertretende Außenhandelsminister der UdSSR, Victor Iwanow, konnte seine Überraschung nicht verbergen und meinte – wobei eine Portion Zynismus mitschwang –, wenn dies hier nötig sei, dann solle ich doch lieber zu ihm nach Moskau kommen. Ich hätte bei meinen vielen Besuchen in seinem

Lande wohl erlebt, wie gefahrlos ich mich dort bewegen könne. Das traf natürlich objektiv zu. Freilich kannte ich auch den Preis, mit dem diese Sicherheit erkauft wurde: den allgegenwärtigen Polizeistaat, der jeden Ansatz von Verbrechen oder gar Terrorismus im Keim erstickte.

Doch zurück zu den Moskowitern.

Moskau war und ist immer noch eine Stadt der Fußgänger. Die Zahl der Privatfahrzeuge hat sich inzwischen zwar sichtbar vermehrt; als neue Besitzer wurden mir vor allem Kellner in Ausländerrestaurants genannt, in denen vornehmlich mit westlichen Devisen gezahlt wird. Aber das beherrschende Bild in Moskau bleiben die Fußgängerkolonnen auf überdimensional breiten Bürgersteigen. Die meisten dieser dahineilenden, schwerbepackten Gestalten streben den Metro-Stationen zu. Das war auch schon vor zwanzig Jahren so, nur erschienen sie mir damals im Winter unendlich trostlos: Vor dem schmutzig-grauweißen Hintergrund einer großstädtischen Schneelandschaft marschierten Tausende von schemenhaften Wesen fast im Gleichschritt, düster, schwarzgewandet und schweigend dahin, als nähmen sie an einer Beerdigung teil. Schritt für Schritt hat sich hier in des Wortes wahrster Bedeutung in den letzten zwei Jahrzehnten eine Aufhellung ergeben.

Unvergeßlich ist mir ein Putzmachergeschäft auf dem großen Gorki-Boulevard. In dem tristen Einerlei der Auslagen von damals fiel es auf durch eine besonders aufwendige Beleuchtung seines Schaufensters, in dessen Innerem Damenhüte feilgeboten wurden, sorgfältig aufgereiht, der eine höher, der andere niedriger, irgendwie unwirklich, aber doch rührend in dem

Bemühen, aufzufallen, den Blick der gleichgültig dahinhastenden Passanten auf sich zu ziehen.

Das einst uniform traurige Bild in der Kleidung selbst der großstädtischen Jugend belebte sich nach und nach. Mir war bekannt, daß russische Frauen gern und gut nähen. Als wir Anfang der siebziger Jahre unser erstes Büro im Hotel Metropol bezogen, leistete uns eine tüchtige, Russisch sprechende Sekretärin aus unserem Hause wertvolle Hilfe. Wir durften sie als deutsche Angestellte auf begrenzte Zeit nach Moskau mitbringen. Eine Erlaubnis hierfür zu bekommen war damals außerordentlich schwierig. Unsere »Vorzeigedame« war nicht nur tüchtig, sondern auch hübsch. Meist trug sie ein schickes Kostüm aus Jeans-Stoff. Jeans-Hosen waren damals der letzte Schrei, ein Damenkostüm dieser Art geradezu ein Knüller. Russische Mädchen, die unserer Dame ansichtig wurden, versuchten gleich, das attraktive Bekleidungsstück auf Papier festzuhalten, um es zu Hause nachzuschneidern.

Die ersten Touristen, die in den siebziger Jahren im Moskauer Stadtbild auftauchten, wohnten im »Intourist« oder im »Rossija«. Mit 4000 Betten war letzteres lange Zeit das größte Hotel der sowjetischen Hauptstadt. Dort gab es für die auf westliche Mode neugierigen Moskauer Mädchen Anschauungsunterricht und das Erwecken immer neuer Sehnsüchte. Das führte dazu, daß das Straßenbild der Stadt trotz der damals noch strengen Abschirmung Fremden gegenüber mehr und mehr westliche Züge annahm und damit freundlicher wurde. Es war sehr geschickt, vor einigen Jahren die bekannten Burda-Schnittmuster anzubieten und Modisches inzwischen dort selbst zu produzieren. Geringer Devisenaufwand führte hier zu vollem Erfolg. Wenn ich früher Strumpfhosen als freundliches Mitbringsel für hilfreiche weibliche Geister im Koffer mitführte, so sind es heute Burda-Schnittmuster, die überall sehr begehrt sind.

Aber nicht nur die Kleidung, auch das Verhalten der Menschen begann sich Mitte der siebziger Jahre zu verändern. Vor allem die Jugend schien mir zunehmend selbstbewußter und lockerer zu werden. Bei den jungen Mädchen setzte sich plötzlich der offiziell verpönte, im Westen schon längst verschwundene Mini-Rock durch. Fast eine Sensation erschien mir, daß plötzlich auch Wert auf Make-up gelegt wurde. Zum erstenmal sah ich den Lidstrich, und der Lippenstift wurde häufiger und kecker angewandt. Unsere drei russischen Sekretärinnen, hübsch und sympathisch, wenn auch KGB-geprüft und laufend überprüft, erwiesen sich als wahre Avantgardistinnen.

Wer von der russischen Bevölkerung spricht, muß auch die tiefe Bindung an die Religion erwähnen, die sie geprägt hat. Man kennt das Marxwort von der Religion als Opium für das Volk, mit dem die Grundthese des atheistischen Staates auf eine Kurzform gebracht wurde. Als Soldat im Rußlandkrieg war ich immer wieder auf der Suche nach Spuren dieses aggressiven Atheismus. Ich habe eher das Gegenteil entdeckt. Zwar waren in Städten und Dörfern die Kirchen der alten Zeit zweckentfremdet und dienten als Parteiversammlungsstätten oder Lagerhallen. Aber in den aus Lehm gebauten Katen fernab größerer Siedlungen gab es in dem oft einzigen Raum oder in der »guten Stube« fast immer so etwas wie einen Herrgottswinkel. Er bestand meist aus einer kleinen Muttergottes-Ikone: in der künstlerischen Darstellung einfach-naiv, aber mit viel Hingabe gemalt. Für das Lämpchen davor war schon lange kein Öl oder Wachs mehr da, aber wenigstens ein verwelkter Zweig oder ein Strauß verdorrter Feldblumen steckte dort. Oft beobachtete ich die Bewohner, meist die älteren unter ihnen, wie sie verstohlen nach orthodoxer Art ein dreifaches Kreuzzeichen schlugen und sich vor der Ikone verneigten.

Ein einziges Mal geriet ich zu meiner Überraschung in einer halbverfallenen und verwahrlosten Kirche in einen Gottesdienst. Es war für mich der erste nach orthodoxem Ritus. Der sonore Gesang des Diakons und die Inbrunst der Gläubigen beeindruckten und verwirrten mich. Ich kam zu dem Schluß, daß bei aller atheistischen Politik des Sowjetstaates auch ein Vierteljahrhundert nach seiner Gründung durchaus noch Zeichen einer lebendigen religiösen Bindung im Volk vorhanden waren.

Als ich nach all den Jahren dieses Land wieder betrat, waren mir die damaligen Szenen durchaus noch präsent. Und ich mußte feststellen, daß meine Beobachtungen von einst immer noch gültig waren. Fast möchte ich sagen: Aus dem russischen Gemüt ist Transzendenz nicht wegzudenken.

Die im Westen bekannte Literatur – Puschkin, Dostojewski, Tolstoi, Tschechow, Pasternak – bringt uns immer wieder Hinweise darauf. Alle Bemühungen, auch die brutalsten, diesen »Aberglauben« zu erstikken, sind fehlgeschlagen. Zeitweilig glaubte das Regime, im Lenin- und Stalinkult eine Art Ersatzreligion schaffen zu können. Als der Stalinkult unter Leonid Breschnew weiter abzubröckeln begann, wurde verstärkt versucht, im Marxismus-Leninismus einen Glaubenskodex zu vermitteln. Erst das Jahr 1988, das Jahr des Milleniums, der Jahrtausendfeier der Christianisierung, hat hier vermutlich eine Wende gebracht.

Verweilen wir ein wenig bei Dostojewski. Er ist wie kein zweiter als Tiefgläubiger und Zweifler zugleich durch das »große Fegefeuer hindurchgegangen«, wie er selbst schreibt. Seine orthodoxe Gläubigkeit wird von Kritikern oft als »mystisch« bezeichnet, ein Eigenschaftswort, das in der russischen Literatur des 19. Jahrhunderts, aber auch in der Kunst bis in unsere Tage immer wieder angewandt wird. Dostojewskis Glaube war offenbar ein Glaube des Zweifels. Dennoch gibt es für ihn die Mission des russischen Volkes, »Gottesträger« zu sein. Er sagt: »Die Berufung ganz Rußlands ist die Orthodoxie, das Licht aus dem Osten, ein Licht, welches den Menschen des Westens zufluten soll, den Menschen, die Christus verloren haben.«

Hier findet sich ein Hinweis auf einen fast nationalistisch anmutenden russisch-slawischen Messianismus, wie er in der zweiten Hälfte des 19. Jahrhunderts gegen die sogenannten Westler zu spüren war. Der Vorwurf, Christus verloren zu haben, wandte sich gegen die Ideen der Aufklärung, gegen Liberalismus, Atheismus, Sozialismus (für Dostojewski noch synonym für Kommunismus) und Materialismus. Der Vorwurf traf gleichermaßen den zunehmenden deutschen Einfluß auf die russische Politik, und dies bis über die Jahrhundertwende hinaus.

Dostojewski öffnet uns auch die Augen für einen anderen typischen Charakterzug des russischen Volkes, den des »ursprünglichen geistigen Bedürfnisses zu leiden«. »Dieses Lechzen nach Leid hat es«, so schreibt er, »von jeher in sich gehabt.«

Dostojewskis Auslegung des russischen Grundcharakters läßt uns auch die tausend Jahre russischen Christentums besser verstehen. 988 befahl Großfürst Wladimir von Kiew seinem Volk den orthodoxen Glauben als den alleinseligmachenden, nachdem er alle anderen Religionen auf ihre Eignung hin hatte überprüfen lassen. In späteren Jahrhunderten, bis hinein ins Jubiläumsjahr 1988, wurde die Frage gestellt, wie überraschend schnell Wladimirs Landsleute diese von hoher Hand auferlegte Religion angenommen und bis heute so inbrünstig geliebt haben.

Führen wir uns noch einmal die Geographie Rußlands und seine frühe Geschichte vor Augen. Das alte Rußland – ohne seine späteren Eroberungen – war ein flaches Land. Es lag offen da und war einem entschlossenen feindlichen Überfall fast schutzlos ausgeliefert. Von den in Nord-Süd-Richtung verlaufenden Flüssen abgesehen, gab es kaum natürliche Hindernisse, die zum Schutz ausgebaut werden konnten. Die höchste Erhebung beträgt 420 Meter. Ob Tataren, Kalmücken, Mongolen oder später Napoleon und Hitler – dieses Land war mit Reiterhorden oder Panzerrudeln leicht zu erobern. Weite und Klima halfen als natürliche Bundesgenossen erst in der zweiten Runde.

Die historische Erfahrung, durch Angriffe von außen großes Leid erfahren zu haben – denken wir an die ungeheuren Verluste im letzten Weltkrieg – und durch Fremdherrschaft geschunden zu werden, hat den Russen die Passion Christi als »tröstendes Beispiel« nahegebracht. Die glorreiche Auferstehung des Gottessohnes ist für sie die schönste Verheißung. Zu Ostern grüßen sie einander mit dem Spruch: »Christos ist auferstanden!« Wird bei uns Weihnachten bzw. die Geburt Christi als das große Fest des Jahres begangen, an dem wir Wünsche und Geschenke austauschen, so ist für die Russen Ostern das erhabenste Ereignis. Wer einmal das Glück gehabt hat, dieses Fest inmitten von russischen Gastgebern zu erleben, wird das tiefe Gefühl einer natürlichen, fast naiven Religiosität nie vergessen.

Eine zweite Erkenntnis hat sich mir über die vielen Jahre meiner Berührung mit Russen mitgeteilt. Warum, fragt sich die Öffentlichkeit in Westeuropa, vor allem auch in der Bundesrepublik, betreibt die Sowjetunion eine solche enorme Hochrüstung? Ihr kommt förmlich die Priorität der Prioritäten zu, wobei dem Aufwand an Menschen und Material keine Grenzen gesetzt zu sein scheinen. Ein völlig unverständlicher Aufwand dazu, weil bei dem bestehenden Kräfteverhältnis eine Bedrohungsgefahr aus dem Westen als unrealistisch gelten muß. Für das übersensible Sicherheitsbedürfnis der Sowjets gibt es bei uns keine rationale Begründung.

Zu erklären ist dieses Bedürfnis nach meiner Meinung in erster Linie aus der geschichtlichen Erfahrung. Es hat sich im Laufe der Jahrhunderte zu einer Art Trauma entwickelt, dem mit nüchternen Zahlen nicht beizukommen ist. Aus Gesprächen, bei denen man sich nahe genug kam, um auch delikate Fragen anschneiden zu können, hörte ich immer wieder heraus, welchen nachhaltigen Eindruck, bei aller vehement kritischen Einstellung zum Hitlerismus, die deutsche Wehrmacht im »Großen Vaterländischen Krieg« auf die Russen gemacht hat. Eine Spätwirkung dieser Erfahrung ist das hohe Ansehen, welches heute die Bundeswehr innerhalb der gegnerischen Streitkräfte der NATO genießt.

Wenn ich mich in der Schilderung der russischen Mentalität und Religiosität auch auf Boris Pasternak bezog, so hat dies seine Gründe. Pasternak erhielt 1958 für seinen Roman »Dr. Schiwago« den Nobelpreis, durfte ihn aber nicht entgegennehmen. Er starb vier Jahre später, in seinem Heimatland verfolgt und offiziell verfemt, aber hoch angesehen im Westen und vor allem von der sowjetischen Jugend verehrt. Ich hatte die Schilderung der unwürdigen Behandlung, die der Dichter kurz vor seinem Tode, bei schwerer Krankheit, von amtlicher Seite in Moskau erfuhr, noch lebhaft vor Augen, als ich mich 1972 bemühte, sein Grab in dem malerisch vor Moskau gelegenen Peredelkino zu besuchen. Dies war offiziell nicht gestattet. Pasternaks Ausstrahlung auf seine Landsleute war offenbar auch nach seinem Tode noch so groß, daß man ihn zwangsweise der Vergessenheit anheimfallen lassen wollte. Ohne Erfolg, wie wir heute wissen.

Damals, im Jahre 1972, kam ich schließlich auf dem kleinen Friedhof von Peredelkino inmitten eines dichten Birkenhains zu seinem Grab. Als ich – weil auf verbotenem Pfad – mit klopfendem Herzen näher trat, gewahrte ich einen Mann in mittleren Jahren und eine junge Frau, damit beschäftigt, aus roh geschlagenen Birkenästen Sitzbänke zusammenzuzimmern. Beiden sah ich an, daß sie keine Friedhofsarbeiter waren. Wie sich allmählich im Gespräch herausstellte, handelte es sich um einen Dozenten der Universität mit seiner Assistentin. In Rußland besteht die schöne Sitte, um die Gräber herum einfache Sitzgelegenheiten zu schaffen, auf denen die Angehörigen oder Freunde eines Toten Platz nehmen, um Zwiegespräch mit ihm oder mit anderen über ihn zu halten. Dies wurde mir von den beiden Anwesenden mit freundlicher Aufgeschlossenheit erläutert. Es war eine sympathische Begegnung, die ihren Eindruck auf mich nicht verfehlte.

Sechzehn Jahre später, im Herbst 1988, drängte es mich wieder zum Grab des großen Dichters. Inzwischen war längst ein kleiner Gedenkstein mit seinem Profil und seinen Lebensdaten aufgestellt worden. Der Ort hatte sich in ein Familiengrab verwandelt. Auf der einen Seite war seine Frau, auf der anderen sein Sohn bestattet. Auf Pasternaks Grab lagen Kuchenreste, Äpfel und Maiskolben. Solche Wegzehr lege man als Liebesgaben auf das Grab eines verehrten Toten, ließ ich mir erklären. Was mich störte, war, daß die Besucher offensichtlich nur das Grab des Dichters mit Gaben versehen hatten, nicht aber die Grabstätten seiner Angehörigen.

Mit meiner Begleitung nahm ich an diesem sonnigen Herbstnachmittag auf der rohgezimmerten Bank Platz. Wir hatten schon eine Weile schweigend in Gedanken verbracht, als sich ein einfacher Mann mit einer Plastiktüte in der Hand zu uns setzte. Zunächst schwieg er, dann sagte er leise, mehr in Gedanken: »Er fehlt uns, dieser Pasternak, er ging viel zu früh von uns.« Dann musterte er unseren erkennbar städtisch-westlichen Habitus und fragte, woher wir kämen. Die Antwort, wir seien Deutsche aus der Bundesrepublik, ließ ihn stutzen, bis er antwortete:

»Dann waren Sie ja unsere Feinde. Ich habe als Partisan bei Gomel gegen die einrückenden Deutschen gekämpft.« – »Und ich stand als deutscher Soldat dort«, murmelte ich.

Dieser kurze Wortwechsel am Grab von Pasternak beschäftigte uns, die wir eng gedrängt auf der kleinen Bank saßen. Jeder hing seinen Gedanken nach. Später stießen noch zwei junge Männer zu uns. Der eine steckte noch im Studium, der andere war Student gewesen, als Pasternak starb. Er erzählte, wie dazumal alle Informationen über den Gesundheitszustand des Schriftstellers unterbunden worden seien. Mit Flugblättern aber hätten sich die Studenten trotzdem auf dem laufenden gehalten und so die Todesnachricht erfahren, trotz strengster offizieller Geheimhaltung. Die Teilnahme an der Beerdigung sei dann allerdings mit einem großen Milizaufgebot verhindert worden.

Die Grabstätte, das wußte man vorher, hatte Pasternak schon lange vor seinem Tode selbst ausgesucht. Es war ein Platz auf dem kleinen Friedhof, den er von seiner oberhalb gelegenen Datscha aus einsehen konnte, erkenntlich an einem herausragenden Baum. Ein Besuch des Grabes sei lange Zeit nicht erlaubt gewesen. Man habe sogar in den unmittelbar am Grab stehenden Bäumen Mikrophone angebracht, um die Gespräche von Besuchern aufzunehmen. Diese Behauptung ließ sich natürlich nicht verifizieren. Angesichts des hier geschilderten Verhaltens der Staatsmacht beim Tode Pasternaks erscheinen solche Lauschaktionen indes durchaus möglich.

Isolation, vertikales Denken und Immobilismus

Ende 1979, als sowjetische Truppen in Afghanistan einmarschierten, liefen die Vorbereitungen für die Olympischen Sommerspiele in Moskau auf Hochtouren. Alle wesentlichen Vorarbeiten waren abgeschlossen. Die Organisation, derer nur ein riesiger zentral geführter Staat fähig ist, war bis ins Detail festgelegt. Auch die weltweiten Werbefeldzüge für das »Fest des Friedens« waren längst angelaufen. Alle unsere Gespräche mit Sowjets bei Besuchen in Moskau oder bei Treffen in der Bundesrepublik kreisten schon lange vorher um das Thema »Olympia 1980«. Die Sowjets unternahmen jetzt die größten Anstrengungen, den negativen Eindruck der Afghanistan-Invasion zu überdecken.

Aber dann kam der Tiefschlag: Die USA sagten ihre Teilnahme ab, und im Mai 1980 folgte der Boykott des bundesdeutschen Olympia-Komitees. Die Sowjets konnten es nicht fassen. Es gab panikartige Reaktionen. In völliger Überschätzung meiner Möglichkeiten reiste eigens aus diesem Anlaß eine Delegation zu mir nach Düsseldorf, um mich zu einer Intervention zu bewegen. Meine Beteuerung, dies stünde ganz und gar nicht in meiner Kompetenz, ließ man nicht gelten. Die mir seit Jahren vertrauten Verhandlungspartner beschworen mich geradezu, alles zu tun, um die Erfolge unserer gemeinsamen Bemühungen zum besseren Verständnis zwischen unseren beiden Völkern nicht aufs Spiel zu setzen. Meine Erklärungen, wie die Zusammenhänge zu sehen seien, wurden als Ausreden ausgelegt. Tief enttäuscht fuhr die Delegation schließlich zurück.

Diese Art Verkennung der Tatsachen durch sowjetische Stellen war typisch. Ich konnte den Russen nicht beibringen, zu welchen Punkten ich Verhandlungskompetenz hatte und zu welchen ganz und gar nicht. Da sie mich regelmäßig zu Gesicht bekamen, gerade auch in den Jahren des gespannten Verhältnisses zwischen Moskau und Bonn und in Zeiten offizieller Sprachlosigkeit, nutzten sie jede Gelegenheit, mir ihre kritische Einstellung zur Bonner Politik im allgemeinen und deren Maßnahmen im besonderen klarzumachen. Oft wollten sie einfach nur ihren Ärger an mir auslassen.

Das führte dazu, daß man über gewisse Zeiträume hinweg sozusagen in Kladde sprach. Natürlich unterrichtete ich Bonn regelmäßig – womit die Sowjets ja auch rechneten. Als ich Minister Genscher gegenüber einmal mein Unbehagen über diese Praxis zum Ausdruck brachte, sagte er kurz und bündig: »Zwischen uns herrscht zur Zeit Funkstille. Wenn sich Ihnen eine Gelegenheit zum Gespräch bietet, nutzen Sie sie. Hauptsache ist, daß weiter gesprochen wird.«

Nun, mein Feld war nicht die Politik, sondern der Außenhandel zwischen unseren beiden Ländern. Dieser hatte in den zurückliegenden Jahren, was das Volumen im Vergleich mit unserem Westhandel anging, nur wenige Prozentsätze betragen. Er hatte somit mehr eine politische als eine wirklich wirtschaftliche Bedeutung erlangt. Der Sowjetunion kam es darauf an, über den Außenhandel Kontakte mit den westlichen Ländern zu pflegen. Mit Beginn der Ölkrise 1973/74 änderte sich der Akzent. Über Öl- und Gasexporte holte Moskau nun plötzlich beachtliche Westdevisen herein, die bis zu 80 Prozent der Gesamtexporterlöse ausmachten.

Wie die Spinne im Netz dirigierte und kontrollierte das »Außenhandelsministerium« – inzwischen in »Außenwirtschaftsministerium« umbenannt – die Verbindungen mit dem Ausland. Ressortminister war über einen langen Zeitraum hinweg der schon mehrfach erwähnte Herr Patolitschew. Als Altkommunist hatte er einen ziemlichen Einfluß auf die Regierung – er vertrat bei den Verhandlungen sozusagen die Politik, obwohl unser Gesprächspartner eigentlich Victor Iwanow war, ein stellvertretender Minister und nüchterner, fachkundiger Experte. Im Laufe der siebziger Jahre kam als sogenannter erster stellvertretender Minister für den Außenhandel Jurij Breschnew hinzu, ein Sohn des Generalsekretärs der KPdSU. Die sowjetische Hierarchie kennt in den Ministerien neben dem amtierenden Minister eine Reihe stellvertretender Minister – etwa unseren Staatssekretären vergleichbar –, deren Zahl sich nach der Bedeutung des jeweiligen Fachministeriums richtet. Wir hatten uns daran gewöhnt, den ersten stellvertretenden Minister bei den Verhandlungen als »den eigentlichen« Fachminister anzuerkennen.

Mit Breschnews Sohn bin ich mehrfach zusammengetroffen. Eine wirkliche Fachkompetenz habe ich bei ihm nicht feststellen können; wir hatten indes auch keine Gelegenheit, sie zu erproben. Die Funktionäre behandelten ihn mit einer gewissen Distanz oder mit milder Freundlichkeit. Soweit ich beobachten konnte, hat er in keinem Fall eine maßgebliche Rolle gespielt. Aus meinen Unterhaltungen mit ihm gewann ich den Eindruck, daß er sich auch nicht sonderlich wohl fühlte. Gefallen fand er offenbar an den Zerstreuungen des westlichen Nachtlebens, aber in dieser Hinsicht war er kein Einzelgänger. Immerhin: Jurij Breschnew wurde von seiten der verhandelnden westlichen Firmen eine gewisse Vorzugsbehandlung zuteil. Manchmal wünschte ich mir, irgendein Freund hätte Vater Breschnew den wohlmeinenden Rat gegeben, seinen Sohn lieber zu Hause zu lassen. Trotzdem kam ich mit ihm aus und hatte durchaus Verständnis für seine unglückliche Rolle.

Mein Problem war eher die zentrale Planung mit ihrem Moskauer Wasserkopf an Ministerien. Dort rannte ich immer wieder mit dem Kopf wie gegen eine Mauer. Der spätere Ministerpräsident Tichonow fragte mich einmal, wie wir den Warenverkehr zwischen unseren beiden Ländern steigern könnten. Ich riet ihm, einen Regional- oder Kombinatchef irgendwo im weiten Sowjetland doch direkt zu fragen, welches seine Bedürfnisse seien, und ihn zu ermuntern, mit den Chefs westdeutscher Firmen auszuloten, welche Lieferungen im gegenseitigen Interesse am nützlichsten wären. Aber Tichonow beschied mich barsch, dies könne nicht geduldet werden. Alles müsse über Moskau, das heißt das Außenhandelsministerium, laufen. Es würde, sagte ich mir damals, wohl noch Jahre dauern, ehe dieser Flaschenhals

Moskau graduell abgebaut werden könnte. Heute wird die dezentrale Verhandlungsfähigkeit geradezu gefördert, ohne daß sie je geübt worden wäre oder sich auf Erfahrungen stützen könnte.

Die Landwirtschaft ist, wie wir wissen, seit Jahren das Sorgenkind Nummer eins der Sowjetunion. Es hat nicht an konstruktiven Angeboten aus dem Ausland gefehlt, vor allem aus den USA und Italien, durch Lieferung von Maschinen und Know-how Abhilfe zu schaffen. Aus der Bundesrepublik hatten sich viele klein- und mittelständische Betriebe zu Wort gemeldet, ohne zum Zuge gekommen zu sein. Im wesentlichen lag das an der mangelnden Koordination auf sowjetischer Seite.

Ich habe dann mit dem Koordinator der Regierung für die Landwirtschaft, Herrn Nurijew, verhandelt, der den Rang eines stellvertretenden Ministerpräsidenten bekleidete. Die Gespräche begannen 1983, zur Zeit der Amtsführung des Generalsekretärs Jurij Andropow, als bereits eine allgemeine Aufgeschlossenheit im Vergleich zum Amtsvorgänger Breschnew spürbar wurde und aus dösig dahinvegetierenden Funktionären plötzlich engagierte, mitdenkende Verantwortliche wurden, die man ansprechen konnte und die zuzuhören verstanden.

Mein Gesprächspartner Nurijew machte keinen Hehl aus den zahlreichen Mißständen. Er schilderte zum Beispiel, daß von der letzten reichen Kartoffelernte nur ein Bruchteil den Konsumenten erreicht hätte. Schuld daran war im wesentlichen ein strukturelles Problem: banale Transportschwierigkeiten. Der Großteil der Bevölkerung lebt im Westen des riesigen Landes. Die Rohstoffe für die industrielle Nutzung aber sind vorwiegend im Norden und Osten, die Lebensmittel im Süden der Union zu finden. Ressourcen und Verbrauchszentren liegen also tausende Kilometer auseinander. Bis in die achtziger Jahre gab es jedoch beispielsweise keine Kühlkette, um verderbliche, hochqualitative Nahrungsmittel – etwa Gemüse und Obst aus Anbaugebieten in Usbekistan, Moldavien, Georgien, Armenien oder von der Krim – den Konsumenten zuzuführen.

Über die Aufgabenstellung kam ich mit Herrn Nurijew schnell ins reine. Wir verabredeten, wie wir, das heißt die Bank, in ihrer Beratung und Verbindung zu einschlägigen Firmen vorzugehen hätten. Herrn Nurijew unterstanden im Ressort Landwirtschaft elf Ministerien verschiedener Sachgebiete, eines zum Beispiel für Viehzucht, ein anderes für Obst und Gemüse, wieder ein anderes für Getreide und so fort. Bei meinem Erfahrungsaustausch mit einigen dieser Teilministerien entdeckte ich plötzlich eine weitere Kalamität, die ich schon erwähnte und die sich als größtes Hindernis für eine gedeihliche Kooperation entpuppen sollte: ein Ressortdenken allerschlimmster Sorte.

Es gibt eine Unmenge solcher Teilministerien. Die genaue Zahl habe ich nie in Erfahrung bringen können, zumal sie sich dauernd ändert; vermutlich sind es aber mehr als hundert. Jedes Ministerium ist für einen bestimmten Bereich zuständig, ohne daß es zu Nachbarressorts Verbindung hätte. Die hier gezüchtete Röhrenmentalität habe ich bereits geschildert: Ein Meinungs- oder Erfahrungsaustausch findet nicht statt; der Kommunikationsfluß ist rein vertikal. Man weiß also wenig voneinander. Gefördert wird diese Abschirmung, ja Behinderung eines horizontalen

Austauschs noch dadurch, daß die in einem dieser Teilministerien durch gute Exporte erzielten Westdevisen im Ministerium verbleiben und nur dort verwendet werden können, anstatt sie je nach Dringlichkeit auch anderen zugute kommen zu lassen. Wenn jetzt, wie mehrfach zu beobachten war, in einem Nachbarministerium ein Arbeitsgang nicht stattfinden kann, weil eine nur im Westen zu beschaffende Anlage mangels hier nicht erzielter Devisen nicht zu kaufen ist, bleibt die jeweilige Kapazität ungenutzt oder jedenfalls nur begrenzt ausgelastet. Zu einer ähnlichen Fehlleistung kommt es, wenn eine teure Maschine angeschafft werden soll, die sich zwar für die Nutzung in einem einzigen Betrieb nicht rechnet, aber durchaus eine breitere Anwendung finden könnte: Dies würde nämlich bedingen, daß mehrere Ministerien oder Betriebe im horizontalen Verbund arbeiten müßten, was aus den oben geschilderten Gründen bisher wohl auch nicht ging.

Auch in den Bonner Ministerien führen Eifersucht und Ressortdenken nicht immer zu interministerieller Abstimmung. Im sowjetischen System aber sind die Ministerien streng für einzelne bestimmte Sparten zuständig, und ihr Personal ist dazu erzogen, das jeweilige Planvorhaben – und sonst nichts! – zu erfüllen. Ganzheitliches Denken und koordiniertes Verfahren werden nicht geübt.

Als Andropow im Herbst 1983 schwer erkrankte und sein Einfluß schwand, wichen die ersten schüchternen Ansätze zur Reform und Eigeninitiative erneut einer Lethargie, wie wir sie seit vierzehn Jahren kannten. Unter Andropows Nachfolger, dem ebenfalls kranken und sichtbar alternden Tschernenko, erlahmte bei unseren sowjetischen Partnern vollends jede Initiative. Hoffnungen auf eine Änderung der bisherigen Verhältnisse kamen erst gar nicht mehr auf. Der Immobilismus, jene so lange beobachtete Denkweise des geringsten Risikos, feierte fröhliche Urständ.

Trotz aller Mühen kamen wir mit unserer »Agro-Consult«-Initiative nicht weiter. Schließlich erkundigte ich mich, wer denn im Politbüro für die Landwirtschaft zuständig sei. Man nannte mir Michail Gorbatschow. Er sei, so erfuhr ich, ein noch junger, dynamischer Funktionär, mit dem ich einmal reden solle. Ich versuchte, noch für 1984 einen Termin zu vereinbaren, der anfänglich in Aussicht gestellt wurde, dann aber doch nicht zustande kam. Es wurde mir aber gesagt, Herr Gorbatschow wisse um unsere Anregung und habe die entsprechenden Unterlagen erhalten. Man solle nunmehr einen Termin mit ihm für Anfang 1985 ins Auge fassen.

Wir waren gespannt auf Gorbatschow. War er einer mehr in der langen Reihe von »Apparatschiks«, an deren Denken und Umgangsformen wir uns langsam gewöhnt hatten? Oder vielleicht doch ein Erneuerer vom Schlage Andropows, der die Fenster wieder aufreißen würde? Immerhin wurde Gorbatschow um die Jahreswende 1984/85 unter unseren Gesprächspartnern, die wir ein wenig näher kannten, als Geheimtip gehandelt. Und auch im Westen war sein Name bereits in den Gazetten aufgetaucht. Im Herbst 1984 hatte er als Mitglied des Politbüros der englischen Premierministerin Margaret Thatcher einen Besuch abgestattet und dabei durch seine frappierende Offenheit Aufsehen erregt.

Der neue Mann und der neue Wind

Im März 1985 wurde Michail Gorbatschow als Nachfolger Tschernenkos ins Amt des Generalsekretärs der KPdSU berufen. Für Mitte April stand mein nächster Moskau-Besuch an. Kurz zuvor erhielt ich eine Mitteilung, daß der neue Generalsekretär mich am 18. April zu einem Gespräch empfangen würde. Wie sich später herausstellte, war dies eines seiner ersten Gespräche mit einem Ausländer und wohl das erste in seiner neuen Aufgabe, das er mit einem Vertreter aus dem Westen führte.

Man kann darüber rätseln, warum er gerade mich, den Repräsentanten einer kapitalistischen Großbank, zum Partner dieses Gesprächs wählte. Aus dem Verlauf der Unterhaltung, die über die vorgesehene Zeit hinaus zwei Stunden dauerte, läßt sich schließen, daß Gorbatschow eine informelle Unterhaltung suchte, die ohne Vorbereitung und protokollarische Belastung, sozusagen in Kladde, ablaufen konnte. Auch wurde ich schnell gewahr, daß die bisherigen starren Umgangsformen mit ihren festen Schemata und oft langweiligen Wiederholungen längst bekannter Positionen für den neuen Hausherrn des Kreml nicht mehr galten.

Dies erfuhr ich schon bei der Einfahrt durch das Kremltor. Mein neben mir sitzender Mentor Wladimir Alchimow, Chef des gesamten sowjetischen Bankwesens, Präsident der Gosbank, sagte mir nämlich, er wisse selbst nicht so genau, worüber wir gleich sprechen würden; es gäbe keinen Themenkatalog. Gorbatschow wünsche ein allgemeines Gespräch, bei dem es keine Eingrenzung auf bestimmte Punkte geben solle. Wichtig sei, so fügte er hinzu, daß ich auf alles frank und frei antwortete.

Schon diese Einführung, die ja wohl auf einem Vorgespräch der beiden Herren beruhte, war ungewöhnlich. Bei allen meinen bisherigen Treffen mit hohen Sowjetfunktionären waren die Themen vorher genau abgestimmt worden. Dabei konnte es vorkommen, daß Punkte, die mich besonders interessierten, wenn nicht gestrichen, so doch als »möglichst nicht anzusprechen« abqualifiziert wurden. Dies fehlte hier gänzlich.

Wir wurden in den Verwaltungsblock geführt, in dem Gorbatschow sein Dienstzimmer hatte. Die langen, mit immer gleichen Läufern bedeckten Flure waren mir schon seit Jahren bekannt. Die Anordnungen in den verschiedenen Verwaltungsblocks sind überall dieselben, auch in jenem, den man nur mit besonderer Erlaubnis betreten kann. Hier befanden sich übrigens auch das Büro und die bescheidene Wohnung Lenins, in denen man nichts verändert hat. Sie gelten heute als Museum und können mit einer Extragenehmigung besichtigt werden.

Als Gorbatschow uns in sein Zimmer bat, fiel mir als erstes der Geruch frischer Farbe auf. Vor Einzug des neuen Generalsekretärs war hier also einiges aufgefrischt worden. Durch die Fenster hindurch, welche zur Hälfte mit gestärkten weißen Gardinen verdeckt waren, gewahrte ich über das Lenin-Mausoleum hinweg den Roten Platz. Michail Gorbatschow erwartete mich in der Mitte des Raumes, neben sich den Sekretär des Politbüros. Völlig gelöst, trat er auf mich zu und begrüßte mich mit offener, freundlich gewinnender Miene. Der Bemerkung, daß ich ja sein Land schon lange kennen würde, da ich ja bereits als Soldat hier gewesen sei, folgten einige Ortsnamen, die mit Schlachten verbunden waren, an denen ich teilgenommen hatte. Gorbatschow sprach auch von der großen Panzerschlacht bei Charkow, doch da mußte ich ihn korrigierend unterbrechen; es war die Panzerschlacht bei Kursk, die ich erlebt hatte. Ich habe mich damals über diese Detailkenntnis meiner Vita nicht gewundert, da ich schon mehr als fünfzehn Jahre nicht ganz unwichtige Verhandlungen in Moskau führte. Ich ging inzwischen davon aus, daß man sich längst ein eingehendes Bild von mir beschafft hatte.

Der folgende Dialog war so ungewöhnlich, so völlig verschieden von allen zuvor in der UdSSR geführten Gesprächen, daß ich ihn auch atmosphärisch schildern möchte. Gorbatschow ließ mich keinen Moment aus den Augen. Sein Gesichtsausdruck wirkte auf mich sympathisch suggestiv und zwingend. Und was dieser Mann sagte, verriet hohe Intelligenz, gepaart mit einer bestechenden Analysefähigkeit. Seine Fragen kamen ohne Umschweife und Floskeln sofort zum Punkt, seine Repliken waren engagiert und präzise.

Die Sachdiskussion eröffnete Gorbatschow mit einem kurzen historisch-philosophischen Vorspann. Die Ära ideologischer Ressentiments sei nunmehr vorbei.

»Wir leben doch nicht mehr im Zeitalter mittelalterlicher Kreuzritter!« Beide Völker, Sowjets und Deutsche, hätten sich sogar in harten Zeiten nicht entzweit. Jetzt gehe es darum, die ökonomischen und politischen Beziehungen beider Länder zu verbessern. Zur Vermeidung neuen Unheils gelte es, Lehren aus der Vergangenheit zu ziehen, die man nicht vergessen dürfe. Lobend erwähnte er in diesem Zusammenhang Willy Brandt, der diese Lehren mit den Verträgen von Moskau und Warschau gezogen habe. Auf Bundeskanzler Kohl kommend, fragte er mit besorgter Miene, wohin wohl die Bundesrepublik treibe. Ich antwortete ihm: »Die Bundesregierung wird sich wie ihre Vorgängerinnen an Geist und Buchstaben der Verträge halten. Sie ist sich der Bedeutung der politischen Beziehungen zu den osteuropäischen Staaten vollauf bewußt.«

Gorbatschow insistierte: »Auf dem Boden der Bundesrepublik Deutschland sind Raketen stationiert. Die Lage verschlimmert sich dadurch doch erkennbar. Europa sollte sich von diesen Nuklearwaffen befreien. Die USA wollen den Schlag von sich auf Europa ablenken. Auch im Frieden wollen die USA offensichtlich ein Druckmittel auf Europa und die Sowjetunion haben. Wo liegt denn hier das Interesse der europäischen Regierungen? Die gegenseitigen kulturellen und wirtschaftlichen Beziehungen könnten doch viel besser sein. Europa ist schließlich die Wiege der Zivilisation.«

Ich antwortete ihm: »Wir sind von sachkundigen Militärs informiert worden, daß Sie, die Sowjets, über 420 SS 20 und damit über 1200 Raketenköpfe installiert haben, die teilweise auf Westeuropa gerichtet sind und eine unmittelbare Bedrohung für uns darstellen. Die Bundesrepublik selbst hat keine Atombewaffnung. Sie ist ein kleines Land im Zentrum Europas zwischen Ost und West. Die Menschen dort fühlen sich bedroht und haben nach vierzig Jahren erneut Kriegsangst. Sie wissen wie ich, daß in Ihrem Land wie in unserem Land jede Familie im Krieg gelitten hat. Es gibt also ein beiderseitiges Interesse an der Vermeidung eines neuen Krieges.«

Da mir bewußt war, daß die Diskussion um die Mittelstreckenraketen an dieser Stelle und zu diesem Zeitpunkt nicht weiterführen würde und die Gegensätze im April 1985 noch unüberbrückbar waren, versuchte ich, an die Wirtschaftsbeziehungen beider Länder anzuknüpfen. Ich fuhr also fort: »Ich halte wirtschaftliche Verflechtungen für ein ganz wichtiges Mittel der Kriegsverhütung. Die Deutsche Bank hat nicht zuletzt aus diesem Grund sehr bewußt den Gesprächsfaden zu ihren sowjetischen Verhandlungspartnern zu Zeiten nicht abreißen lassen, als die offizielle Politik beider Länder wegen der bekannten Ereignisse schon nicht mehr miteinander sprach. Im übrigen ist die Bundesrepublik aber nicht nur politisch, sondern auch wirtschaftlich ein zuverlässiger Partner, dessen Vertragstreue in der Welt bekannt ist.«

Gorbatschow griff das Stichwort auf. »Die wirtschaftlichen Beziehungen zur Bundesrepublik könnten in der Tat verbreitert werden. Ich bin der Meinung, daß wir die Handelsrückgänge vom letzten Winter und Frühling aufholen können. Es gibt eine Reihe neuer Probleme, insbesondere die Beschleunigung des wissenschaftlich-technischen Fortschritts. Letzterer verlangt von uns allen neue Ideen. Allerdings sollte uns die Bundesrepublik Deutschland bei ihren Lieferungen keine ›alten Hüte‹ unterschieben. Dies ist die Zielsetzung der COCOM-Liste und des Protektionismus.«

Ich erwiderte ihm, daß die deutsche Technologie weltweit gefragt sei – sie sei nicht billig, dafür aber von erstklassiger Qualität. Mit der Lieferung »alter Hüte« könne die Bundesrepublik ihre Weltmarktstellung nicht halten.

Darauf Gorbatschow: »Ich wollte das nur auf jeden Fall einmal gesagt haben.«

Im weiteren Verlauf des Gesprächs entwickelten wir die gemeinsame Auffassung, daß die UdSSR mit ihren enormen Rohstoffvorkommen und die Bundesrepublik Deutschland als ein Hochtechnologieland geradezu ideale Komplementärpartner im wirtschaftlichen Austausch seien. Als wir auf die Stärke der Wirtschaften der Bundesrepublik und Japans zu sprechen kamen, wurde einmal mehr deutlich, wie sehr zu diesem Zeitpunkt die militärstrategische Diskussion noch das Denken beherrschte.

Gorbatschow: »Die Bundesrepublik Deutschland und Japan haben weniger aufgerüstet und sind deshalb stärkere Wirtschaften. Jetzt will die Bundesrepublik in der WEU alle Waffenarten haben – das ist gefährlich. Die UdSSR verfolgt das mit Aufmerksamkeit.«

Ich antwortete ihm nachdrücklich: »Niemand will bei uns den Frieden gefährden!«

Darauf Gorbatschow: »Brauchen die Deutschen wirklich neue Lehren?«

Ich betonte nochmals: »Wir haben keine eigenen Nuklearwaffen. Wir haben wenig Waffenexport. Wir sind aber genauso ein NATO-Land, wie die DDR ein Warschauer-Pakt-Staat ist. Das gibt uns Sicherheit und sollte kein Mißtrauen schaffen.«

Darauf Gorbatschow in deutlich versöhnlicherem Ton: »Ich lebte längere Zeit im Kaukasus mit Moslems zusammen. Diese haben das Sprichwort: ›Ein wiederholtes Gebet schadet nicht.‹«

Gorbatschow kam anschließend auf die historische Nähe der Kulturen beider Länder zu sprechen. Dann bedauerte er, daß er die Bundesrepublik Deutschland bislang leider nur von einem einzigen Besuch her kenne, den er auf Einladung der Kommunistischen Partei 1975 zur dreißigjährigen Wiederkehr des Kriegsendes gemacht habe. Hier sei es zu einem für ihn bezeichnenden Erlebnis gekommen. Auf der Fahrt mit dem Auto habe man an einer kleinen Tankstelle halten müssen. Man sei ausgestiegen und habe sich beim Gespräch die Beine vertreten. Der schon etwas ältere Tankstelleninhaber habe plötzlich gefragt, ob sie Russen wären, was man bejahte. Da sei der Mann sehr ernst geworden und habe deutliche Vorwürfe gegen die Sowjetunion erhoben, unter anderen den, sein Land, Deutschland, geteilt zu haben. Auch habe man seiner Familie viel Leid zugefügt. Er, Gorbatschow, habe daraufhin gefragt, ob man mit ihm in sein Tankstellenhäuschen gehen könne, um zu diesen Vorwürfen Stellung zu nehmen. So sei es geschehen. Hier habe er dann klargemacht, daß die Westalliierten ihre drei Zonen zusammengefaßt und in einen gegen die Sowjetzone gerichteten Teilstaat verwandelt hätten. Ein Vorwurf der Teilung Deutschlands könne also nicht gegen die Sowjetunion erhoben werden.

Dies erinnerte mich an eine Bemerkung, die Stalin

angeblich bei der Konferenz von Jalta im März 1945 gemacht haben soll und die sinngemäß lautet – so jedenfalls las ich sie im historischen Verhandlungsraum von Jalta –, man könne das große deutsche Volk auf Dauer nicht teilen. Hier ist natürlich hinzuzufügen, daß Stalin Deutschland ungeteilt unter kommunistischer Vorherrschaft erhalten wollte. Die obige Begebenheit muß Michail Gorbatschow jedenfalls nachhaltig beeindruckt haben. Er hat sie später an anderer Stelle noch einmal geschildert, als er sich auf seinen offiziellen Besuch in der Bundesrepublik Deutschland im Juni 1989 vorbereitete.

Unser Meinungsaustausch verlief, wie gesagt, sehr freimütig. Bei Gorbatschow schimmerte die Gegnerschaft zu den USA immer wieder durch, ohne daß der Name des Präsidenten Reagan gefallen wäre. Bisher hatte ich in allen Regionen des Riesenreiches und in den Medien die Erfahrung gemacht, daß man sich nicht scheute, die personifizierte Gegnerschaft zu pflegen, wenn von den USA die Rede war. Zum Zeitpunkt meines Gesprächs mit Gorbatschow hatte die Sowjetunion sozusagen als Vorleistung zur Einleitung von Entspannungsgesprächen einen einseitigen Stopp von unterirdischen Atomversuchen vorgenommen, mit der Aufforderung, die USA sollten ein gleiches tun. Bei der Schilderung dieses Sachverhalts bekam ich nun das ganze Vokabular von Vorbehalten und eines konsequent gepflegten Mißtrauens den Amerikanern gegenüber zu hören.

Ich versuchte in meiner Replik den Vorwürfen zu begegnen, indem ich darauf verwies, daß die USA und die NATO aufgrund langjähriger Erfahrung im Rüstungsverhalten der Sowjetunion und des Warschauer Paktes immer wieder Anlaß zur Vorsicht bei sowjetischen Ankündigungen gehabt hätten. So seien bis heute Berge gegenseitigen Mißtrauens zwischen beiden Seiten angehäuft worden, die nur mühsam und mit unendlicher Geduld abgetragen werden könnten. Nach meinen Erfahrungen in diesem Land sei es notwendig, durch persönliche Begegnungen erste Voraussetzungen zur Bildung einer Vertrauensbasis zu schaffen.

Ich sagte dann wörtlich: »Herr Gorbatschow, auch Sie können in Ihrem streng zentralistisch geführten Land« – hier lag mir das Wort »diktatorisch« auf der Zunge, ich verkniff es mir aber – »Ihren Landsleuten nicht befehlen: ›Habt Vertrauen!‹ Um wieviel weniger ist dies in einem demokratisch strukturierten Land wie Amerika möglich!« Ich zeigte dabei auf den neben Gorbatschow sitzenden Herrn Alchimow und führte aus, wie voller Mißtrauen, ja fast feindselig ich bei meinen ersten Begegnungen in Moskau empfangen worden sei. Inzwischen hätten sich durch viele Gespräche und das ständige Bemühen um für beide Seiten vorteilhafte Kontakte jedoch Verständigung und Vertrauen eingestellt, die ich heute als eine wesentliche Errungenschaft zum Wohl von uns beiden ansetzen würde. Es schien mir, als sei Gorbatschow nachdenklich geworden.

Überhaupt fiel mir auf, daß dieser neue Generalsekretär zuhören konnte, daß er zwar harte Fragen stellte, aber darum bemüht war, sich auch von dritter Seite, und nicht nur seinen eigenen Beratern, unterrichten zu lassen. Dies zeigte sich auch an folgendem Beispiel: Gorbatschow monierte, daß die Bundesrepublik ihr eigenes Interesse zu sehr zugunsten der

USA zurückstelle. So würden in großem Umfang unsere finanziellen Ressourcen, wie die Spargelder der Bürger, zur Deckung der hohen US-Defizite nach dort überwiesen. Dies hätte bereits dazu geführt, daß die für die Wirtschaft der Bundesrepublik notwendigen Investitionen nicht mehr finanziert werden könnten. Ich antwortete, daß dies ganz und gar nicht der Fall sei. Aus eigenen Beobachtungen wüßte ich allerdings, daß viele Bürger der Bundesrepublik in durchaus beachtlichen Beträgen Anlagen in US-amerikanischen Schuldtiteln vornähmen. Hierbei müsse man aber berücksichtigen, daß bei uns jeder Bürger über seine Ersparnisse frei verfügen und diese auch in fremder Währung und in das Land seiner Wahl als Vermögensanlage transferieren könne. Wenn jetzt viele deutsche Anleger US-Investitionen bevorzugten, dann erfolge das völlig freiwillig aufgrund eigener Entscheidung aus zwei Gründen: Einmal sei der US-Dollar eine gefragte Alternativwährung, zum zweiten verspräche die US-Wirtschaft eine erfolgreiche Entwicklung.

Diese Erläuterung hat Gorbatschow erkennbar beeindruckt, zugleich aber auch verärgert, weil er offenbar anders unterrichtet war. Es war jedenfalls das einzige Mal in unserem langen Gespräch, daß er die Stirn kraus zog und die Brille aus dem Etui holte, um kurz Einblick in ein vor ihm liegendes Dossier mit roten Unterstreichungen zu nehmen. Bisher hatte er mit diesem Brillenetui, es wechselseitig in beiden Händen haltend, nur seine Ausführungen temperamentvoll unterstrichen. Mir wurde klar, daß der Verfasser der Notiz einen Rüffel zu erwarten hatte, wohl mit Recht. Ich glaubte auch zu wissen, von wem diese von

Gorbatschow vorgetragene Meinung in ihrer Formulierung stammte.

Ich hatte angenommen, daß unser Gespräch vor allem Fragen der Wirtschaft, vielleicht auch konkrete Vorhaben, über die ich seit Jahren verhandelt und Abschlüsse herbeigeführt hatte, berühren würde. Dem war aber nicht so. Michail Gorbatschow ging es offenbar um eine grundsätzliche Diskussion. Dabei erwähnte ich an einer Stelle, daß in seinem Lande nach meinen Beobachtungen eine ziemliche Verschwendung an Energie und Rohstoffen herrsche. Dies gelte auch für manche mit teuren Westdevisen gekauften Ausrüstungen und Maschinen.

Damit hatte ich wohl einen wunden Punkt seiner eigenen Beobachtungen getroffen, denn im Gegensatz zu meiner Erwartung, für diese harte Kritik zurechtgewiesen zu werden, stimmte er mir lebhaft zu. In späteren Aussprachen kam er immer wieder darauf zurück, wenn er auf die Wirtschaftsplanung und das Erreichen der gesetzen Ziele einging. Offenbar war er sich der Schwächen des Fünfjahresplan-Denkens und der Planungsstäbe bewußt. Man müsse, meinte er, die Ressourcen effizienter einsetzen. Auch sei ein Zeitraum von jeweils fünf Jahren für eine langfristige Umstrukturierung zu kurz, es sollten mindestens zehn Jahre sein. In der Tat hat Michail Gorbatschow schon sehr bald nach Übernahme seiner hohen Verantwortung Mißstände angeprangert und war vor persönlichen Konsequenzen nicht zurückgeschreckt, wenn er Änderungen im traditionellen Planungssystem vornahm.

So war mein Gesamteindruck aus dieser ausführlichen Unterhaltung: Hier spricht jemand, der aufgrund jahrelanger Beobachtungen des Systems seines Landes zu tiefgreifenden Änderungen entschlossen ist. Wenn bisher eine Art quietistischer Immobilismus als Garantie gegen unerwünschte Veränderungen – sprich: Gefährdungen der bestehenden Machtstruktur – gepflegt wurde, so sollte es damit ein Ende haben.

Daß dieser Eindruck nicht ganz falsch war, erhielt ich erst später von maßgeblicher Seite, nämlich von hochrangigen Beratern aus der unmittelbaren Umgebung des Generalsekretärs, bestätigt. Als ich diesen Herren gegenüber einmal meine nicht gerade unkritischen Beobachtungen aus der Breschnew-Zeit erwähnte, mußten sie mir völlig recht geben. Aber sie fügten hinzu, daß sie selbst von 1970 an minutiöse Aufzeichnungen von Mißständen und Fehlentscheidungen gemacht hätten, die 1983, beim Amtsantritt Andropows, vorgelegen hätten.

Meine erste Begegnung mit Gorbatschow hat mich also, sowohl was die Person wie den Gesprächsinhalt betrifft, tief beeindruckt. Im April 1985 war der neue Hausherr des Kreml noch weitgehend unbekannt, sogar in der Sowjetunion. Als mich Journalisten bei der Rückkehr von diesem Treffen fragten: »Was für ein Mann ist das?«, konnte ich nur antworten: »Wenn jemand dieses Land ändern kann, dann ist er es!«

Auch meine sowjetischen Partner, mit denen die Verhandlungen eher noch intensiver weitergingen, wollten wissen, wie ihr neuer erster Mann auf mich gewirkt hätte, da sie ihn ja persönlich noch nicht erlebt hatten. Ich sagte Ihnen, daß wir beide – sie aus sowjetischer Sicht und wir im Ausland – von diesem Generalsekretär noch einiges zu erwarten hätten. Seine menschliche Ausstrahlungskraft, der direkte

Blick seiner lebhaften braunen Augen, die zupakkende Gesprächsführung und Analyse – all das zusammen hatte die Begegnung für mich zu einem Erlebnis gemacht.

Schon der englischen Premierministerin Margaret Thatcher war es ähnlich ergangen. Sie hatte im Dezember 1984, wenige Wochen vor seinem Amtsantritt als Generalsekretär, ausgedehnte Gespräche mit Gorbatschow in London geführt. Seinen ersten offiziellen Auslandsbesuch allerdings machte er im Herbst 1985 in Paris, was natürlich symbolhafte Bedeutung hatte. Damals bescheinigte ihm die Weltpresse, die ihm bei seiner abschließenden Pressekonferenz zu Hunderten zu Füßen saß, wie so völlig anders als alle seine Vorgänger er wirkte: aufgeschlossen und weltmännisch.

Dieses so früh verliehene Prädikat – sosehr ich damit übereinstimmte – hat mich zunächst überrascht. Ich versuchte herauszufinden, woher diese Weltläufigkeit denn stammen könnte. Außer den Aufenthalten in den Satellitenstaaten des Ostens war Gorbatschow vor dem Staatsbesuch in Paris, wie erwähnt, nur in England gewesen, 1983 in Kanada und 1975 in der Bundesrepublik Deutschland, auf Einladung der DKP zum 30. Jahrestag des Kriegsendes. Aber ich konnte noch andere Informationen über ihn zusammentragen. Gorbatschow war in seinen jungen Jahren als Student interessanten Einflüssen ausgesetzt gewesen. Er hatte zwei Vollstudien absolviert: ein fünfjähriges juristisches Präsenzstudium in Moskau und ein ebensolang währendes landwirtschaftliches Fernstudium in seiner vorkaukasischen Heimat, welches in der Sowjetunion streng gehandhabt wird. Während seines Moskau-Studiums habe Gorbatschow, so sagt man, über Jahre hin engen Kontakt mit dem aus der Tschechoslowakei stammenden Zdeněk Mlynář gehabt. Mlynář wurde später, 1968, zur Zeit des Prager Frühlings, eine Art Chefideologe von Alexander Dubček, der einen Sozialismus mit humanem Gesicht in seinem Lande einführen wollte. Tschechen und Slowaken haben sich historisch wie geistig *immer* als Mitteleuropäer empfunden. Man kann sich ohne viel Phantasie vorstellen, wie sehr der gerade zwanzigjährige Gorbatschow von den Ideen und Konzepten seines rührigen Kommilitonen beeinflußt wurde. Schon damals mag bei ihm die ausgeprägte Begabung bestanden haben, Dinge kritisch zu hinterfragen und zu analysieren, Folgerungen daraus zu ziehen und diese in praktische Politik umzusetzen. Heute ist diese Anlage gepaart mit einer natürlichen Fähigkeit, eindringlich zu formulieren und offen auf Menschen zuzugehen.

Im Sommer 1985 kursierte in Moskau eine für Gorbatschow typische Geschichte. Der neue Generalsekretär wollte – bis dahin völlig undenkbar – mit Landsleuten auf der Straße diskutieren: ohne Zwang und Protokoll. Er erschien in Vororten von Moskau, ohne vorher angemeldet zu sein, um in Fabrikhallen oder Kantinen Arbeiter anzusprechen. Bei einem Besuch in Leningrad ging er ohne Begleitung über die bevölkerten Boulevards und unterhielt sich mit Passanten. Große Aufregung bei den herbeieilenden Fernseh-Teams!

Gorbatschow vermißte abends in den Hauptnachrichten die Einspielung dieses aktuellen Ereignisses. Es stellte sich heraus, daß ein öffentlicher Auftritt des obersten Chefs bisher einer genauen Überprüfung, wenn nicht Manipulation unterzogen wurde, ehe er auf Sendung ging: Der Parteisekretär hatte der Öffentlichkeit liniengetreu offeriert zu werden. Das Auftreten des neuen Mannes war so ungewohnt, daß die Medien sich erst auf energischen Druck aus dem Kreml an die neuen Praktiken gewöhnten.

An die mediengerechte Präsentation der obersten Hierarchie hatte man bisher kaum denken müssen. Weder Breschnew noch Chruschtschow, schon gar nicht Stalin hätten sich auch nur annäherungsweise so wie Gorbatschow verhalten. »Altmeister« Stalin hatte man ja nur sehr selten im Radio zu Gehör bekommen. Im Fernsehen, das allerdings bis zum Zeitpunkt seines Todes 1953 auch kaum eine Rolle spielte, trat er nie auf. Seine Ausdrucksweise, die mit dem starken georgischen Akzent befremdend wirkte, wäre dazu auch ebensowenig geeignet gewesen wie seine Attitüden. Überdies gehörte es zum System, und dies schon zu Zarenzeiten, daß der Herrscher mit der Aura des Unnahbaren umgeben und immer nur aus der Distanz wahrzunehmen war. Breschnew war nicht imstande, frei vor der Öffentlichkeit zu sprechen. Er verhielt sich stilgetreu nach der Tradition großrussischer Potentaten.

Die offene, unkomplizierte Art eines Michail Gorbatschow wurde demnach als sensationell neuer Stil gewertet, mit dem zunächst weder die Medienvertreter noch die Funktionäre und schon gar nicht das Volk etwas anzufangen wußten. Die Jahrhunderte der Zarenzeit, die siebzig Jahre der Sowjetherrschaft hatten eine fast sklavenhafte Gesinnung hervorgebracht, die den Menschen mit brutaler Gewalt aufgezwungen worden war, ihnen aber auch, in ihrer unbedingten Gefolgschaft zum Herrn, ein Gefühl der Sicherheit, des Schutzes in persönlicher Abhängigkeit vermittelte. Gorbatschow rief ihnen nun plötzlich zu, sich aus Ängsten und überkommener Unterwürfigkeit zu befreien und das Leben in die eigenen Hände zu nehmen. Das war neu und verblüffend, und es wird noch lange brauchen, bis es sich in den Köpfen durchsetzt.

Gorbatschow hat inzwischen seine eindrucksvolle Selbstdarstellung perfektioniert und dazu den Nachweis erbracht, sein bester »public relations officer« zu sein. Seine Worte, Handlungen, Gesten verraten, daß er keine einstudierte Rolle spielt, sondern daß hohe Intelligenz, Mut und Überzeugungskraft Teil seiner Persönlichkeit sind. Er kann sich durchaus taktisch und auch ungeduldig verhalten. Das allgemeine Phlegma im Land muß ihm fast körperliche Schmerzen bereiten. Gorbatschow ist zweifelsohne ein begnadeter Politiker. Seine Umgebung kann da nur von ihm lernen.

Gefördert wird seine Wirkung durch die für sowjetische Führer völlig ungewohnte Assistenz seiner Ehefrau Raissa. Wer sich auch nur gelegentlich mit ihr unterhält, gewinnt schnell den Eindruck, daß diese ehemalige Philosophie-Dozentin keine Staffage, sondern eine absolut gleichwertige Persönlichkeit ist, die auch im Ausland repräsentative Aufgaben zu übernehmen vermag. Sie erscheint ebenso unkompliziert im direkten Umgang mit Menschen und Sachen und bleibt selbst in hektischer Umgebung, etwa beim undisziplinierten Ansturm von Journalisten und Photographen, völlig gelassen und souverän.

Wie kein anderer spricht Gorbatschow zu seinem Volk und über sein Volk. Glasnost heißt für ihn, die Probleme sichtbar zu machen und Ziele zu setzen. Natürlich weckt er mit seinem offenen Auftreten beim Mann auf der Straße Hoffnungen auf eine bessere Versorgungslage bei Konsumgütern und Lebensmitteln. Je länger aber die Erfüllung solcher elementaren Erwartungen ausbleibt, desto größer wird die Gefahr einer allgemeinen Unruhe in der Bevölkerung, wobei ganz natürlich Vergleiche zu früheren Perioden gezogen werden. Diese waren zwar auch nicht gerade rosig, aber sie waren, was die Versorgung angeht, doch ein wenig besser.

Die Sorge, Gorbatschows Reformkurs könnte an diesen Klippen scheitern, ist im Westen zu Recht weit verbreitet. Eine entsprechende Hoffnung mag bei so manchem sowjetischen Funktionär, der sich unter den früheren Regimen in einer bequemen Lebenslage wähnte, ebenso vorhanden sein.

Betonköpfe gegen Radikalreformer, eine heruntergekommene Wirtschaft, ein korrupter, lähmender Funktionärsapparat, bisher mit Gewalt unterdrückte Nationalitätenprobleme und beängstigende soziale Mißstände – das ist das Spannungsfeld, in dem sich das »neue Denken« zu bewähren hat: als »eine neue Moral, eine neue Psychologie«, wie Gorbatschow sagt, die dem einzelnen eine Mitverantwortung für die Welt von morgen abverlangt, »so es sie überhaupt noch geben soll«. Viel Zeit dazu bleibt in der Tat nicht; das weiß Gorbatschow selbst am besten.

Friedenskongreß mit ungewohnter Handschrift

Eine der spektakulärsten Initiativen Michail Gorbatschows, die Dinge im ost-westlichen Verhältnis im Sinne wahrer Entspannung voranzubringen, war der mancherorts belächelte »Friedenskongreß«, den er im Februar 1987 in Moskau organisierte. Nun, wir, die Leute aus der Wirtschaft, waren vielleicht die einzigen unter den vielen hundert Teilnehmern aller Rassen und Nationen mit klarer Zielrichtung auf die Zukunft.

Das Ganze war sorgfältig und von langer Hand vorbereitet. Schon im Herbst 1986 war ich auf einer internationalen Konferenz zur Behandlung grundsätzlicher wirtschaftspolitischer Fragen auf diesen Kongreß angesprochen und dazu eingeladen worden. Ich zögerte mit einer Zusage, da mir Programm und Ablauf trotz mehrfacher Anmahnung nicht mitgeteilt werden konnten. Bei einer Teilnahme hätte ich mich unter Umständen der Gefahr ausgesetzt sehen können, vorformulierte Deklarationen mit zu unterzeichnen, auf deren Verabschiedung ich keinen Einfluß hatte. Derartige Verfahrensweisen waren aus der Vergangenheit hinreichend bekannt. Wie viele gutwillige, manchmal wohl auch naive Teilnehmer an solchen Friedensfeiern sowjetisch kommunistischer Provenienz hat es gegeben, die, »zwangsbeglückt«, ihre Namen unter dubiosen oder nicht klar definierten Formulierungen wiederfanden. Von daher mißtrauisch, machte ich meine Anwesenheit, auf die man offensichtlich Wert legte, schließlich davon abhängig, daß ich von jeder Art öffentlicher Erklärung verschont blieb oder zumindest das unzweideutige Versprechen erhielt, Stellungnahmen, die von mir selbst stammten, unverändert und nur so veröffentlicht zu sehen. Diese Zusage bekam ich, und sie wurde eingehalten.

Im Verlauf des Kongresses wurde ich nicht ein einziges Mal in Verlegenheit gebracht. Auch dies war neu. Bei früheren Anlässen hatte ich, wie erwähnt, andere Erfahrungen gemacht. Auch brachte der Kongreß eine für Moskau wohl einmalige Zahl und Vielfalt unterschiedlichster Meinungsgruppen aus fast der ganzen Welt zusammen, die in den wenigsten Fällen irgendeiner Regierung angehörten. Optisch am auffälligsten waren die Vertreter der Religionsgemeinschaften, meist orthodoxer Glaubensrichtung.

Treffpunkt der Diskussiongruppen war das von dem Amerikaner Armand Hammer entworfene, weitläufige, im Stil amerikanischer Ausstellungssalons errichtete »Trade Center«, dessen Hotel auch die meisten Teilnehmer beherbergte. In den Hallen schritten die unzähligen Kirchenvertreter in ihren wallenden Gewändern, auf dem bärtigen Haupt die hohe Bischofsmitra, in der Hand den Bischofsstab, würdevoll einher, was gar nicht in das Getriebe um sie herum paßte. Wir als in Zivil gekleidete Gäste, an Zahl weit geringer, kamen uns ihnen gegenüber wie graue Kirchenmäuse vor, fast wie deplaziert in dieser feierlichen Umgebung. Da waren Soziologen, Ärzte, Psychologen und

Philosophen, Friedensforscher und Ex-Generäle, Schriftsteller und Schauspieler wie Gregory Peck oder Marcello Maestroianni. Letzteren traf ich abends in einer bunten Gesellschaft internationaler Künstler, die auf Einladung des sowjetischen Künstlerverbandes mit Malern aus Aserbeidschan und Armenien zu einem sehr offenen, fast ausgelassenen Meinungsaustausch zusammenkamen.

Das entsprach genau Gorbatschows Intention: Über Meinungsaustausch und offizielle Gespräche professioneller Politiker hinaus wollte der neue Mann im Kreml vor einem Weltforum quasi den »Aufgalopp« für eine neue Politik vorführen, eine Politik, die sich rigoros von bisherigen Zielsetzungen und Methoden unterscheiden sollte. Auf der Schlußveranstaltung im schönen Katharinensaal des Kreml sprach Gorbatschow in Gegenwart des Friedensnobelpreisträgers Sacharow von einer geistigen Revolution, die die Erkenntnis bringen müsse, daß die Menschheit von nun an nur noch ein gemeinsames Schicksal kenne.

Man hat mich damals in Moskau oft nach meinen Eindrücken gefragt und wollte von mir hören, welche Auswirkungen diese einmalige Veranstaltung wohl haben könnte. Impressionen dieser Art sind schwer in kurze Worte zu fassen. Die Denkweise Gorbatschows war mir bereits so weit vertraut, daß ich von seinen Worten nicht mehr überrascht war. Ich habe sie oben geschildert. Dieser Staatsmann hohen Grades, zuvorderst ein sowjetischer Patriot, sieht, so glaube ich, die Sowjetunion und die Welt weit über den Tag hinaus bis ins nächste Jahrtausend, mit allen Chancen und Risiken, die sich in seinem Riesenreich im globalen Kontext eröffnen. Abgesehen von dem beachtlichen persönlichen Propaganda-Erfolg, den ihm der Kongreß brachte, vermittelten seine Vorstellungen den Eindruck, daß sein »neues Denken« zu einer irgendwie anders gearteten Sowjetunion führen solle, zu einer Abkehr jedenfalls von siebzig Jahren Sowjet-Ideologie mit ihrem Anspruch auf Weltherrschaft, ohne daß sich die Außenwelt jedenfalls zu diesem Zeitpunkt schon einen rechten Reim darauf machen konnte. Die Teilnehmer in den verschiedenen Arbeitsgruppen aus Ost und West haben die ungewöhnlichen Bekundungen dieses Moskauer Kongresses nach jahrzehntelangen negativen Erfahrungen gewiß mit Neugierde, wenn auch nicht ohne Skepsis, aufgenommen.

Im Wirtschaftsforum des Kongresses ging es sicherlich am nüchternsten zu. Vertreten waren fast alle COMECON-Länder und neben den EG-Staaten die USA und Japan. Die UdSSR hatte die erste Garnitur aus Wissenschaft und Praxis aufgeboten. Die US-Amerikaner gaben sich eher frustriert. Einige ihrer Unternehmensbosse bekundeten ihre jederzeitige Bereitschaft zur Intensivierung der Zusammenarbeit, beschwerten sich aber, daß ihre Administration in Washington ihnen zu viele Hindernisse in den Weg legte. Das verwunderte mich. Denn ihre diversen Tagungen mit den Sowjets im Rahmen der gemischten Wirtschaftskommission, in Washington oder Moskau, hatten sie stets in außerordentlich großer und profilierter Besetzung abrollen lassen. Ich wußte das von Handelsminister Baldridge, jenem Vertrauten von Präsident Reagan, der später beim Rodeo tödlich verunglückte.

Bei zwei Besuchen in Washington hatte ich mit Baldridge unsere Einschätzung des Reformkurses in Moskau ausgetauscht. Wir stimmten natürlich nicht in allen, aber doch in den wesentlichen Punkten überein. Mir war dieser sportliche Gentleman, sozusagen von Reiter zu Reiter, sehr sympathisch. In seinem Arbeitszimmer zeigte er mir stolz den Rodeosattel, der neben seinem Schreibtisch aufgebockt war. Er hatte ihn bei einem Turnier gewonnen, an dem er noch mit sechzig teilgenommen hatte. Diese Leidenschaft für das Rodeo wurde ihm dann fatalerweise zum Verhängnis.

Die Japaner traten in Moskau ausgesprochen aggressiv auf. Ihre Erwartungen neuer gemeinsamer Großprojekte mit den Sowjets trugen sie mit großer Zielstrebigkeit vor. Ich komme darauf noch zurück.

Was unsere Wünsche anging, so brachte ich drei mir besonders wichtige Punkte zur Sprache, die meine sowjetischen Partner aus früheren Diskussionen größtenteils schon kannten. Zum einen ging es um die Gründung sogenannter Gemeinschaftsunternehmen (joint ventures) zwischen einem westlichen und einem sowjetischen Unternehmen. Dafür gab es bereits Vorbilder, und zwar in China, wo deutsche Firmen seit Anfang der achtziger Jahre Erfahrungen in der Partnerschaft mit chinesischen Unternehmen in der mit Hongkong benachbarten Provinz Canton (Kwangtschou) gesammelt hatten. Wir sahen diese *joint ventures* als Lehrfälle.

Hierauf hatte ich die Sowjets in früheren Jahren des öfteren hingewiesen, mit dem Angebot, ihnen auch mit Beispielen aus Ungarn und Bulgarien behilflich zu sein und mit ihnen zu prüfen, ob sie für die sowjetische Wirtschaft brauchbar seien. In den Jahren vor Gorbatschow hatte ich damit keinen Erfolg. Ab 1986 aber wurden meine Vorschläge plötzlich als eine willkommene Entdeckung aufgenommen, die sofort in die Tat umgesetzt werden sollte. Gorbatschow strebt bekanntlich eine Strukturänderung auch im sowjetischen Außenhandel an: weniger Rohstoff-Exporte wie Öl und Gas, statt dessen Lieferung von Erzeugnissen mit höherer Wertschöpfung, vor allem bei Maschinen, ins westliche Ausland. Die Überlegung in der obersten Führungsetage zu unseren Vorschlägen war nun, daß man diese Strukturänderung am besten durch das Eingehen von *joint ventures* mit westlichen Partnern auslösen und in Gang halten könnte. Was man bisher zurückgewiesen hatte, wurde plötzlich zur bewegenden Idee. Der englische Begriff *joint ventures* wurde geradezu ein Modewort.

Auf dem Forum in Moskau mahnte ich zur Geduld. Ein *joint venture* sei, erklärte ich, die anspruchsvollste Form der Zusammenarbeit, sozusagen deren Krönung, und man könne sie nur Schritt für Schritt vollziehen. Es könne also nicht darauf ankommen, quasi wie bei einer Planerfüllung möglichst viele Vorhaben vorzuweisen, sondern die vielseitigen Voraussetzungen eines jeden Falles zu erfüllen. Ich schlug vor, bei der großen Zahl von Firmen aus der Bundesrepublik Deutschland, die seit Jahren gute Kontakte zu sowjetischen Unternehmen und deren leitenden Persönlichkeiten unterhielten, anzufangen und von Fall zu Fall zu prüfen, ob die Zusammenarbeit vertieft werden könnte. Wie bei der Vorbereitung auf eine Ehe solle man erst eine Art Verlöbnis eingehen, um Gemeinsamkeiten auszuloten. Nach einer gemeinsamen Prüfung, ob es eine ausreichende Basis zu einem Gemeinschaftsunternehmen gebe, könne dann der formelle Vollzug einer von beiden Seiten gewünschten gemeinsamen Unternehmensidentität erfolgen.

Seitdem ist das grundsätzliche Interesse, auf solche Unternehmensformen einzugehen, in beachtlichem Umfang gestiegen. Offenbar geschieht dies auf westlicher Seite in der Hoffnung, eine solide Ausgangsbasis für die als vielversprechend eingeschätzte Entwicklung des riesigen Marktes Sowjetunion zu schaffen. Es hat sich aber auch die Einsicht durchgesetzt, daß ohne sorgfältige Prüfung und Beratung ein solches Wagnis nicht eingegangen werden sollte. Es erfordert viel Managementkraft und finanzielle Überlegung; und die Gefahr, die eigene Exportposition auf Dritt-Märkten in Mitleidenschaft gezogen zu sehen, ist nicht auszuschließen.

Die Beratung als solche war mein zweites Kongreßthema. Bei der Durchführung großer Investitionen, bei denen westliche Maschinen- und Anlagenimporte im Spiele waren, war das Investitionsziel häufig verfehlt worden. Wertvolle, gegen Westdevisen eingekaufte Güter im Wert von mehreren Milliarden Mark landeten, ohne zweckentsprechend eingesetzt zu werden, verwahrlost irgendwo im weiten Land auf dem Müllhaufen. Ich wiederholte daher meine Empfehlung, in solchen Fällen auf kompetente westliche Industrieberatungsfirmen zurückzugreifen, und machte meinen Zuhörern folgende einleuchtende Gleichung auf: Einschlägige Beratung kostet Geld, zweifellos. Rechnet gegen dieses Honorar aber den Verlust auf, den euch falsche oder ineffiziente Investitionen verursacht haben, fügt den Zeitaufwand hinzu, der durch Änderung oder Anpassung entstanden ist, und ihr werdet feststellen, daß der zusätzliche Aufwand für eine Beraterfirma mehr als gerechtfertigt war. Sooft ich diesen Grundgedanken ins Spiel brachte und wie sehr ich damit bei Ministerien und anderen Dienststellen auf Verständnis stieß, in der letzten Entscheidung hatten die Sowjets immer wieder Gründe, meiner Empfehlung nicht zu folgen. Das mag hauptsächlich daran gelegen haben, daß die Position »Beratungsgebühr« im Schema der Plankosten einfach nicht existierte. Hinzu wird das Mißtrauen gekommen sein, daß hinter dieser »kapitalistischen« Methode ein Haken steckte, um dem sozialistischen Vertragspartner zusätzliche Kosten aufzubürden.

Mein dritter Punkt betraf schließlich das sowjetische Banksystem, das ich nun lange genug kannte. Unter Hinweis auf die Neuordnungspläne, die auf dem Forum dauernd beschworen wurden, regte ich an, die überkommene Struktur den neugestellten Aufgaben durch Differenzierung anzupassen. Tatsächlich wurde noch 1987 hieran gearbeitet und schon ein Jahr später ein neues Schema eingeführt. Hauptmerkmal der Reform ist, die bis dahin allmächtige Gos(Staats)bank als reine Zentralbank mit Währungskontrollfunktion einzuordnen. Für besondere Dienstleistungen, unter anderem in der Landwirtschaft, im Bauspar- und Sparwesen für den kleinen Mann, gibt es jetzt entsprechende Spezialbanken. Diese bemühen sich redlich, wenn auch noch unbeholfen, ihre Rolle als Berater des Sowjetbürgers zu spielen und dabei allmählich fachliche Kompetenz zu entwickeln. Die bisherige Außenhandelsbank wurde zur Außenwirtschaftsbank und gegenüber ihrem früheren Status aufgewertet. Bei der Zusammenarbeit mit westlichen Firmen, etwa bei *joint ventures*, sowie bei Verhandlungen über Kredite in Westwährung und ihre Ausnutzung spielt sie die entscheidende Rolle.

15

16

Eröffnung der Ausstellung »Tradition und Gegenwart« in der Kunsthalle Düsseldorf am 7. De-
mber 1984. Von links: Dr. Gerd Schäfer vom Kunstverein Düsseldorf, Wladimir S. Semjonow,
otschafter der UdSSR in der Bundesrepublik Deutschland; Prof. Jurij K. Koroljow, Generaldirek-
r der Staatlichen Tretjakow-Galerie, Moskau; F. W. Christians; Nikolaj Ponomarjow, Vorsitzen-
r des Künstlerverbandes der UdSSR; Jurij Kissel, Kulturattaché der sowjetischen Botschaft in
onn · 16 Eröffnung der Ausstellung »Schrecken und Hoffnung« in der Hamburger Kunsthalle
ı 1. Oktober 1987. Von links: Michail A. Gribanow, stv. Minister für Kultur der UdSSR; F. W.
ristians; Prof. Jurij K. Koroljow; im Hintergrund Klaus von Dohnányi, damals Erster Bürgermei-
r der Freien und Hansestadt Hamburg

17

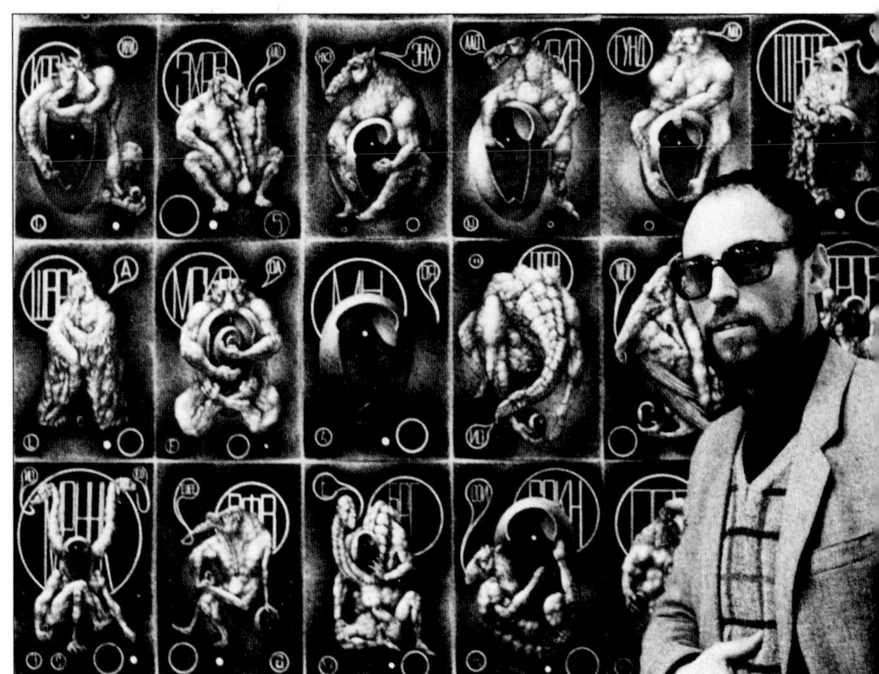

17 Kasimir S. Malewitsch, Kopf eines Bauern, 1911
18 Ljubow Sergejewna Popowa, Ohne Titel, 1921
Die als Nr. 17, 18 und 22 abgebildeten Werke stammen aus der Sammlung des Autors.

20

21

▸–21 Ausstellung »nicht-registrierter« Künstler in einem Moskauer Vorort während des Frie-
ːnskongresses im Februar 1987

22 Vadim Sidur, Verzweiflung, 1964

Reisen in die Geheimkammern der Sowjetunion

Im Herbst 1988 wurde ich von meinen sowjetischen Partnern zu einer Erkundungsreise auf die Halbinsel Kola eingeladen. Und eine Erkundungsreise sollte dies für mich »Westler« im wahrsten Sinne des Wortes werden.

Die Sowjetunion begann damals zögernd, westlichen Augen ihre Geheimkammern zu öffnen. Und Kola, die sagenumwobene riesige Halbinsel im äußersten Norden, zwischen Weißem Meer und Barentssee, ist eine solche. Sie war als einst heiß umkämpftes Nachbargebiet zu Finnland bis kurz zuvor militärisches Sperrgebiet gewesen und daher aus den deutsch-sowjetischen Überlegungen gemeinsamer Erschließung ausgeklammert geblieben.

Auf Kola liegt der Kriegshafen Murmansk, der in den letzten Jahrzehnten enorm ausgebaut wurde, auch für zivile Zwecke übrigens. Murmansk ist, obgleich nördlich des Polarkreises, der einzige Hafen an der Nordküste der Sowjetunion, der wegen des Golfstroms das ganze Jahr über eisfrei bleibt. Murmansk mit Kola ist ein Knotenpunkt im Netz umfangreicher, höchst geheimer militärischer Anlagen. Nur andeutungsweise konnte man erfahren, daß es hier wegen der günstigen geographischen Lage zu den USA eine starke Konzentration von Abschußrampen interkontinentaler Raketen, Stützpunkte von Fernbomberstaffeln und U-Boot-Basen gebe. Und Murmansk hatte schon im letzten Krieg entscheidende Bedeutung für die Sowjetunion. Da der Hafen nie zufriert, kamen über ihn die umfangreichen amerikanischen Hilfslieferungen an Kriegsmaterial ins Land, zu denen sich Präsident Roosevelt vertraglich verpflichtet hatte.

Als ich im Herbst 1988 die für Ausländer lange Zeit verschlossene Stadt betrat, kam mir plötzlich eine Episode aus dem Sommer 1942 in den Sinn. Damals, zu Beginn der zweiten großen Sommeroffensive der Wehrmacht in Richtung Don und Wolga, hatten wir zwischen Kursk und Woronesch am Don erstmals amerikanische Konserven, später auch Waffen mit dem Herkunftszeichen USA bei den sowjetischen Truppen entdeckt. Und wir erfuhren, daß dieses Material auf dem Weg über den Nordatlantik via Murmansk hier zu uns an die Front in Südrußland kam. Auch einem subalternen Offizier mit knapp zwanzig Jahren wie mir mußte dies schlagartig klarmachen, welche entscheidende Wende der Krieg mit dem Eintritt der USA an der Seite der Sowjetunion genommen hatte.

Die Halbinsel Kola war natürlich nicht nur als gerüchteumwobene Militärzone der Sowjets bekannt. Man wußte im Westen auch, daß sie riesige Rohstoffvorkommen barg. Aber offenbar wurde sie – sogar für die Sowjetunion selbst – erst durch eine Reise des neuen Generalsekretärs Gorbatschow im Herbst 1987 in die zivile Zukunftsplanung einbezogen. Zwar war sie über die militärische Bedeutung hinaus auch schon für die Industrie, den Bergbau, für die Schiffahrt und, im Gebiet von Murmansk, als Hauptstützpunkt für die Fischerei entwickelt worden. Aber nach Ansicht des Generalsekretärs hatte sie bisher nicht entfernt ihre industriellen Möglichkeiten ausgeschöpft.

Michail Gorbatschow hatte am 1. Oktober 1987 in Murmansk vor Arbeitern und hohen Funktionären eine programmatische Rede gehalten – ich erwähnte sie bereits –, die noch ein Jahr später in der ganzen Sowjetunion als Broschüre auslag, in den Sprachen der Union sowie in westlichen Sprachen. Bei meinem Besuch in der Stadt wurde ich immer wieder auf diese Rede angesprochen. Was war an ihr so bedeutend? Von ihr ging, so erklärte man mir, praktisch die Initialzündung zu umfassenden industriellen Reformen und zur wirksamen Entwicklung dieser ganzen bisher so rückständigen, weil militärisch abgeschirmten Region aus.

Diese Rede enthielt vor allem zwei wichtige Aussagen: Erstens hämmerte der neue Generalsekretär seinen Zuhörern in die Köpfe, man solle doch nicht immer auf Anweisungen aus Moskau warten, wenn sich aus Gründen der Effizienz eine andere als die angeordnete Maßnahme empfehle; man solle vielmehr aufgrund der besseren Beurteilung vor Ort eigenständig entscheiden. Appelle an die Führungskader zielen seitdem, wie schon erwähnt, immer wieder in diese Richtung.

Flexibilität war eben bisher weder bekannt noch geduldet, und es wird sicher noch eine Weile dauern, bis sie sich durchsetzt. Hieran sieht man, wie weit in der Sowjetunion Gorbatschows Forderung und die Wirklichkeit noch voneinander entfernt sind. Dennoch muß ich einräumen, daß immer mehr Ausnahmen von diesem lethargischen, ja resignativen Verhalten zu beobachten sind, welches sowjetische Funktionäre so lange Zeit kennzeichnete. Ich habe Management-Veranstaltungen erlebt, bei denen wir Teilnehmer aus der Bundesrepublik uns hinterher im Spaß darüber stritten, welchen von den jungen sowjetischen Teilnehmern wir für unser eigenes Nachwuchsteam rekrutiert hätten – so brillant erschienen uns einige von ihnen.

Gorbatschows zweiter Punkt betraf die staatlichen Subventionen, ein Thema, das auch bei uns Ärger bereitet. Der Generalsekretär beklagte, daß in seinem Land für Mieten und Grundnahrungsmittel bisher jährlich über 70 Milliarden Rubel (über 200 Milliarden D-Mark) an Zuschüssen ausgegeben worden seien. Dies sei nicht länger vertretbar und müsse gekürzt werden.

Hier kann man ihm nur zustimmen. Der Militäretat und die Subventionen sind zweifellos die Hauptpositionen im sowjetischen Gesamthaushalt. Wie sehr ähneln sich da die Sorgen der Politiker in Ost und West, mußte ich unwillkürlich denken, als man mich auf diesen Punkt der Gorbatschowschen Ausführungen hinwies. Ich sagte mir, daß sich hier ein Ansatz für die beiderseitig gewünschten Einschnitte in die Militärhaushalte der Paktsysteme bieten müsse. Gorbatschow hat wiederholt angekündigt, daß die UdSSR ihre Militärausgaben offenlegen werde, sobald man sich über gleiche Erfassungsschemata einigen und damit einen ehrlichen Vergleich ermöglichen würde.

Seit dem Gorbatschow-Besuch im Oktober 1987 sah sich nun die Halbinsel Kola mit Murmansk herausgehoben und verpflichtet, sich für die Ausschöpfung ihres natürlichen Reichtums bis hin zur Erschließung des Tourismus in dieser herben und dennoch reizvollen Landschaft ins Zeug zu legen. Und dies offenbar von vornherein mit fremder, westlicher Hilfe. Jedenfalls waren die neuen Pläne ohne Zweifel der Grund dafür, daß mich Ministerpräsident Nikolaj J. Ryschkow im Frühjahr 1988 (also wenige Monate nach Gorbatschows Rede) einlud, nicht nur eine Studienreise nach Kola zu machen, sondern nach Möglichkeiten der Kooperation sowjetischer Stellen mit Firmen aus der Bundesrepublik zu suchen. Dieser Vorschlag, dem ich im Herbst 1988 folgte, war für mich der erste Hinweis darauf, daß die bisher geltende militärische Priorität des Gebiets aufgehoben war.

Der Vorschlag des sowjetischen Ministerpräsidenten war ehrenvoll und zugleich äußerst kompliziert. Es galt, eine Phase zu beenden, in der deutsche Firmen im Ostgeschäft Rückschläge hatten hinnehmen müssen. So war im Frühjahr 1988 der bis dahin wohl größte Geschäftsabschluß der UdSSR mit ausländischen Partnern ohne deutsche Beteiligung unterschrieben worden. Es handelt sich um das sogenannte »Tengis«-Projekt, ein riesiges Rohstoffaufschlußvorhaben in der Nähe der Kaspischen See, mit einem vorläufig geschätzten Volumen von etwa sechs Milliarden Dollar. Federführend ist die US-Firma Occidental Petroleum, bekannt durch den Altmeister und Patriarchen im Ostgeschäft, Dr. Armand Hammer.

In der Tat kann Hammer, mit inzwischen über neunzig Jahren, auf eine von niemandem erreichte, erfolgreiche Vergangenheit auf diesem Gebiet verweisen. Als Student hatte er noch Lenin die Hand gedrückt, was ihn über Jahrzehnte fast zu einer legendären Figur in Moskau werden ließ. Er wußte dies geschäftlich klug zu nutzen. So hat er von Anfang der zwanziger Jahre bis heute alle Generalsekretäre der KPdSU gekannt, wie er in gleicher Weise allen US-Präsidenten dieser Epoche seine Vermittlungsdienste angeboten hat. Ich habe für diese ungewöhnliche, keineswegs unumstrittene Persönlichkeit immer eine gewisse Schwäche gehabt.

Im »Tengis«-Projekt hatte er also offenbar wieder einmal mit seiner in Moskau anerkannten Vergangenheit erfolgreich operiert. Mit von der Partie sind italienische und japanische, aber keine deutschen Unternehmen. Zwar hatten sich mehrere deutsche Firmen zumindest um Teilaufträge bemüht und nicht unerhebliche Vorarbeiten geleistet. Die Sowjets verfügten aber in der Zeit von 1985 bis 1987 auf Anordnung Gorbatschows praktisch eine allumfassende Auftragsstornierung. Zum einen wollte Gorbatschow offensichtlich vor Inangriffnahme seiner Reformpolitik zunächst einmal eine Bestandsaufnahme vornehmen, zum anderen mußten durch den Verfall des Dollar- und Ölpreises hohe Einbußen in Milliarden Dollar Höhe im Export von Primärenergie, das heißt Öl und Naturgas, hingenommen werden. Erst ab 1988 wurde die Abstinenz in der Auftragserteilung gen Westen abgebaut. Nun wollten die deutschen Firmen nach jahrelangen erfolglosen Bemühungen verständlicherweise ihre Chance gewahrt sehen.

Ich hatte mich schon vor längerer Zeit mit Ministerpräsident Ryschkow zu einer Tour d'horizon verabredet. Bei dieser Gelegenheit wollte ich die deutschen Anliegen in extenso vorbringen. Allerdings sorgten Terminschwierigkeiten für eine weitere Verzögerung.

Schließlich befanden wir gemeinsam, daß ein Samstagmorgen im Frühjahr 1988 am besten geeignet wäre, weil wir dann ohne Zeitlimit sprechen und auch nicht gestört werden könnten.

Ryschkow ist eine völlig andere Persönlichkeit als sein Vorgänger Tichonow. War letzterer streng, sehr ernst und ideologisch befangen, so wirkt Ryschkow als Typ eher angelsächsisch, offen, locker, sachbezogen und berechenbar.

Als ich das Thema deutsche Firmen anschnitt, erklärte mir Ryschkow ebenso freundlich wie bestimmt, daß man die Zuverlässigkeit und Qualität der Unternehmen aus der Bundesrepublik durchaus anerkenne, aber Firmen im übrigen westlichen Ausland bzw. Japan seien flexibler, was nichts anderes heißt, als daß sie günstigere Konditionen gewähren.

Durch die Vermittlung von Armand Hammer bot Ryschkow aber einige Wochen später die gemeinsame Durchführung eines noch größeren Vorhabens in Mittelsibirien an. Um einen genehmen Termin im Kreml wahrnehmen zu können, flog ich mit Armand Hammer in seinem Privat-Jet, einer Boeing 727, sehr großzügig, aber nicht luxuriös eingerichtet, nach Moskau. Bei diesem Großprojekt ging es unter anderem um die erheblichen, aus dem Norden Sibiriens in das vorgesehene Gebiet von Nishnewartowsk zu transportierenden Rohölmengen, die, zu Derivaten, aber auch allerlei chemischen Halbfertigprodukten verarbeitet, zur Weiterbehandlung in verschiedene Industrien im Inland gelangen sollten, aber auch für den Export bestimmt waren. Hierzu benötigte man bestimmte Lizenzen der Großchemie in der Bundesrepublik.

Für die Sowjetunion war dies durchaus vernünftig. In dem von Gorbatschow angeordneten Prozeß einer grundlegenden Änderung der Export-Struktur soll die Ausfuhr von unverarbeiteter Rohware jeder Art – hier Erdöl – zurückgenommen und die Verarbeitung mit einem möglichst hohen Wertschöpfungsanteil gefördert werden. Die verlangten Lizenzen betrafen aber zum größten Teil mit erheblichem Forschungsaufwand entwickelte Produkte, mit denen die angesprochenen deutschen Firmen ihre eigene Wettbewerbsposition im Export bewahren müssen. Somit kam nach langen, zähen Verhandlungen diese vorgesehene amerikanisch-deutsch-sowjetische Kooperation zur Erschließung einer großen Region in Mittelsibiren nicht zustande. Die Japaner haben schließlich das Geschäft gemacht.

Im Laufe vieler Verhandlungen ergaben sich natürlich immer wieder Fälle, in denen die deutsche Seite nicht zum Zuge kam. Wir haben die Gründe für das jeweilige Scheitern sorgfältig analysiert, um aus den Erfahrungen zu lernen und auch den beteiligten deutschen Lieferfirmen nützliche Ratschläge geben zu können. Manchmal konnten wir allerdings die wirklichen Gründe nicht in Erfahrung bringen. Auch wenn das deutsche Angebot in Qualität und Preis den Wünschen der Sowjets nach unserer Einschätzung voll entsprach, mußte die jeweilige politische Situation stets mit einbezogen werden. Dies bedeutet, daß zum Beispiel bei Verstimmungen auf diesem Gebiet die kommerzielle Seite bewußt in den Schatten gestellt wurde und umgekehrt.

Da solche Gründe nur selten expressis verbis genannt wurden, waren wir oft auf Vermutungen angewiesen. Als bei dem erwähnten Tengis-Großprojekt italienische Großfirmen berücksichtigt wurden, glaubten wir nach entsprechenden Informationen den Grund darin sehen zu müssen, daß der seinerzeitige italienische Ministerpräsident Craxi einen persönlichen Draht zu Gorbatschow hatte und hier die Sowjets eine politische Geste machen wollten. Anders, aber ebenfalls politisch wurde der Fall des großräumigen Ausbaus des Trade Center in Moskau beurteilt. Hier hatte 1988 eine bekannte deutsche Baufirma eine qualitativ hochwertige und schlüssige Offerte gemacht, allerdings nicht zu Billigpreisen. Es hieß dann, den Prestige-Auftrag wolle man – wohl auch aus politischen Gründen – an eine jugoslawische Baufirma vergeben. Michail Gorbatschow machte just in diesem Frühjahr in Belgrad für mehrere Tage einen Staatsbesuch, um die seit langem bestehenden Zwistigkeiten mit jenem seit Titos Zeiten eigenwilligen sozialistischen Bruderland zu beenden, was auch weitgehend gelang. Über viele Jahre hin hatte ich mir allerdings bei der Diskussion über die wirtschaftliche und finanzielle Situation der einzelnen Ostblockstaaten und die Möglichkeiten der Abhilfe durch gemeinsame Bemühungen zwischen Ost und West immer wieder die Bemerkung eingehandelt, daß sich für die Bewältigung der jugoslawischen Probleme nicht mehr Moskau aufgerufen fühle; dies sei jetzt Sache des Westens. Die deutliche Distanzierung war unüberhörbar.

Wie dem auch sei, jetzt galt es, die deutschen Wirtschaftsinteressen bezüglich »Kola« auszuloten. Und dabei fiel mir wohltuend auf, mit welcher Aufgeschlossenheit mir alle örtlichen Behörden – von der administrativen Spitze in Murmansk über die technischen und kaufmännischen Leitungen in den Betrieben bis hin zu den Wissenschaftlern vor Ort begegneten, als ich die Halbinsel im September 1988 besuchte.

Mit wem ich auch sprach, alle waren sich darüber im klaren, daß die intensive Ausschöpfung dieses rohstoffreichen Gebiets ohne technologische Hilfe und ohne Kapitalbeiträge von westlicher Seite nicht gelingen könne. Eine schon vorher begonnene Zusammenarbeit mit dem benachbarten Finnland hatte offensichtlich nicht die gewünschten Erfolge gebracht. Dafür aber erhielt ich Hinweise darauf, daß die von Gorbatschow angeregte, ja geradezu befohlene Abkehr vom zentralistischen Denken hier in Kola mit einem Eifer befolgt werde, wie er nur echten Pionieren eigen sei. Weg von den Moskauer Ministerien, hin zu selbständigem Handeln und Verantworten.

Die Akteure auf Kola konnten sich bereits auf einen entsprechenden Beschluß des Moskauer Ministerrats stützen. Vorläufig hapert es noch ein wenig an der praktischen Durchführung. Oft ist nicht auszumachen, ob Moskauer Ministerien und wie viele von ihnen für dieses oder jenes Projekt noch zuständig sind. Das Wesen der Zentralgewalt ist in sowjetischen Hirnen eben sehr tief verwurzelt, und es wird noch einige Zeit dauern, bis es ganz verschwunden ist.

Wo liegen nun aber die Ansatzpunkte für eine Zusammenarbeit auf Kola? Da gilt es zunächst eine Vorfrage zu klären: Wie können die zum Teil seltenen Rohstoffe der Halbinsel, welche die europäische Industrie zur Zeit noch aus Südafrika und Australien bezieht, im EG-Raum, also einer relativ nahe an der Sowjetunion gelegenen Zone, in die Rohstoffversorgung des Westens einbezogen werden? Mögliche Auswirkungen dieser Versorgung hatte ich in Moskau bereits besprochen. Ich hatte darauf hingewiesen, daß es sich hier um eine sehr langfristige Perspektive handele, die viel Geduld erfordere.

Die Ernsthaftigkeit der Sowjets, Kola zu entwikkeln, kann nicht in Zweifel gezogen werden. In Murmansk und Moskau nannte man mir einen Gesamtinvestitionsplan von 18 Milliarden Rubel, das sind etwa 50 Milliarden D-Mark. Er umfaßt den Zeitraum bis Ende dieses Jahrhunderts und listet Infrastrukturverbesserungen wie Einzelinvestitionen auf.

Sollte die Nutzbarmachung dieses geballten Rohstoffvorkommens durch Zusammenarbeit mit dem Westen bewerkstelligt werden, so läßt sich schon heute auf eine günstige Ausgangslage hinweisen: die für die Bewältigung der Transportprobleme vorteilhafte Geographie. Zwei Wege bieten sich an: der nördliche vom eisfreien Seehafen Murmansk über das Nordkap in die Nordsee zu den EG-Staaten und der südliche als Binnenwasserweg über Seen und Kanäle der Sowjetrepublik Karelien in die Ostsee, nach Leningrad, Kaliningrad und Lübeck. Letzterer scheint auf mehr Interesse zu stoßen.

Von meinen Gesprächen mit der Lokalregierung in Petrosawodsk, der Hauptstadt Kareliens, nahm ich den Eindruck mit, daß auch diese bislang kaum industrialisierte Teilrepublik an der finnischen Grenze von der Erschließung Kolas zu profitieren hofft. Außerdem plant man hier, die natürlichen Schönheiten Kareliens devisenbringenden westlichen Touristen schmackhaft zu machen.

Petrosawodsk, malerisch am weiten Onegasee gelegen, wäre ein reizvoller Ausgangspunkt für Fischer und Jäger, die sich in einer für uns Westeuropäer kaum vorstellbar unverdorbenen Landschaft tummeln könnten. Peter der Große hat die Stadt 1703 gegründet. Er ließ eine Gießerei bauen und dort die Kanonen für die Schiffe seiner Ostseeflotte gießen, die gegen seinen Erzfeind Karl XII. von Schweden operierte. Auf einer kleinen Insel im See liegt der Museumsort Kischi mit wunderbaren Holzkirchen aus dem 18. Jahrhundert, ein Tip für Liebhaber russisch-orthodoxer Kirchenkunst. Katharina die Große liebte Petrosawodsk so sehr, daß sie sich hier ein Sommerschlößchen errichten ließ.

Zur Industrialisierung der Region soll ein riesiges Wasserkraftwerk beitragen, das an der Nahtstelle zu Kola und zur Grenze von Finnland entstehen könnte. Es wird mit einer Kapazität von 4000 Megawatt geplant und wäre damit das größte nichtnukleare Einzelkraftwerk Europas, mit billigem Stromangebot nach Norden zu Kola, nach Süden zu Karelien, nach Westen zu Finnland. Aber schon regen sich Umweltschützer, vor allem in Finnland, die gegen die großräumige Rodung des Urwalds protestieren.

Umweltbewußtsein rührt sich zunehmend auch in der Sowjetunion. Michail Gorbatschow hat seit 1988 die Notwendigkeit, die Umwelt zu schonen, immer wieder betont. Sein Verhalten ist ein Novum. Bei früheren Reisen habe ich allenthalben beobachten können, wie sehr in diesem weiten Land elementare Rücksichten auf die Natur vernachlässigt werden. In einigen Landesteilen habe ich erschreckende Verwüstungen gesehen, denen gegenüber sich die Oberfläche des Mondes noch vergleichsweise freundlich ausnimmt. Der Mond sah aber immer schon so aus;

die Erde dagegen richtet der Mensch zugrunde. Auf der Halbinsel Kola, wo ich ebenfalls erschütternde Verwüstungen nach bergbaulicher Erschließung und rücksichtsloser Ausschöpfung der Ressourcen sah, soll mit erheblichem Aufwand – er ist in den genannten 18 Milliarden Rubel enthalten – aufgeforstet werden. Die Klimaverhältnisse lassen allerdings dort, so sagte man mir, nur unzureichende, über weite Zeiträume verteilte Hilfe zu.

Für die Entwicklung des Großprojekts Kola habe ich einen eigenen, persönlichen Beitrag leisten wollen. Auf einem deutsch-sowjetischen Forum in Bad Godesberg im März 1989 machte ich dem wirtschaftswissenschaftlichen Berater Gorbatschows, Professor Leonid Abalkin, den Vorschlag, eine »industrielle Ostseeregion K« einzurichten, in der durch besondere Investitions- und Steueranreize ein Industrie- und Technologiezentrum für deutsch-sowjetische Gemeinschaftsunternehmen (joint ventures) geschaffen werden sollte. Der Buchstabe »K« steht für die Stadt Kaliningrad, die bis 1945 Königsberg hieß.

Kaliningrad liegt an dem von mir schon vorher in der Sowjetunion ins Gespräch gebrachten »südlichen« Verbindungsweg von der Halbinsel Kola nach Lübeck, hätte also schon von daher eine zentrale Pilotfunktion. Ich habe bei meinem Vorschlag bewußt auf die von Michail Gorbatschow lancierte Formel vom »gemeinsamen Haus Europa« hingewiesen, die es mit Leben zu erfüllen und den Völkern in Ost und West besser verständlich zu machen gelte, wenn sie nicht, wie Helmut Schmidt unlängst behauptete, eine bloße Redensart bleiben soll. Wörtlich sagte ich, daß ein solcher visionärer Begriff nur dann Realität werden könnte, »wenn Probleme der Vergangenheit überwunden, Grenzen der Gegenwart beseitigt und Ziele der Zukunft realisiert werden«. Ein solches Ziel der Zukunft wäre die Ostseeregion K.

Im einzelnen führte ich dazu aus, daß eine verkehrsmäßig günstige Infrastruktur vorliege. Ich verwies auf Odessa am Schwarzen Meer, wo der erste Schritt zu einem ähnlichen Projekt bereits getan wurde. Kaliningrad verfügt über kurze und schnelle See- und Landverbindungen zu Polen und der DDR, zu Westeuropa und den skandinavischen Ländern. Rohstoffe aus Kola kämen hier sofort an die verarbeitenden Betriebe. Kulturell liegt das ehemalige Ostpreußen den Deutschen näher als das ferne Sibirien, was die Akzeptanz eines solchen Standorts unter den Mitarbeitern erhöhen dürfte. Meinen sowjetischen Partnern versicherte ich, das Projekt solle keinesfalls als der deutsche Versuch einer Reokkupation einer historisch problematischen Region auf kaltem, ökonomischem Wege mißverstanden werden. Vielmehr ginge es darum, durch eine enge räumliche Ansiedlung unterschiedlicher Gemeinschaftsunternehmen eine Plattform für den gemeinsamen Erfahrungsaustausch zu bieten, wie ihn junge Unternehmen mit Piocharakter bekanntlich suchen. Wenn es zudem gelänge, einen Teil der ausreisewilligen Deutschstämmigen in dieser Industrie- und Kulturzone zu binden, stünde von Anfang an ein erhebliches Reservoir an ausgebildeten und arbeitswilligen Beschäftigten zur Verfügung, die sich eine neue, eigene Existenz in einem kulturellen Identitätsraum aufbauen wollen.

Ich schlug auch eine technisch-ökologisch-wissenschaftliche Hochschule in räumlicher Nähe mit der

Spezialdisziplin »Joint Ventures« vor, um den Technologietransfer zwischen Wissenschaft und Praxis zu beschleunigen. Schließlich sprach ich von der sozialen Infrastruktur mit ihren diversen Anreizen für Deutsche und Russen, die in der Region arbeiten wollen, von einem Ausbildungszentrum, das bis weit in die UdSSR hinein beratend wirken könnte, und von der Niederlassung kleiner und mittlerer Zurüstungsbetriebe vor Ort. Auch eine Freihandelszone mit ihren kräftigen Impulsen für eine industrielle Ansiedlungspolitik als teilautonomes Gebiet unter sowjetischer Souveränität brachte ich in Vorschlag.

Neben der ökonomischen Bedeutung eines solchen Schrittes sollte auch dessen politische Wirkung nicht unterschätzt werden, tat ich kund. Aus der Sicht der westeuropäischen, insbesondere deutschen Bevölkerung wäre er ein klares Bekenntnis zu einer gemeinsamen europäischen Zukunft, die sich symbolhaft in der Errichtung einer Freihandelszone Kaliningrad dokumentierte. Für die deutsche Seite wäre der Schritt eine klare Kooperationsantwort auf die mit dem Begriff Königsberg verbundenen Fragen, was, so meine ich, auch der deutschen Grundstimmung entspricht.

Nicht unerwähnt möchte ich in diesem Zusammenhang lassen, daß die sowjetischen Neubürger Kaliningrads in zunehmendem Maße die Geschichte dieser Region für sich entdecken.* Der große Sohn der

* Dazu noch eine eigentümliche Begebenheit aus der Mitte der achtziger Jahre. Ich erhielt Informationen, daß das in den letzten Kriegswochen verschwundene Bernsteinzimmer – ein Kleinod des Kunsthandwerks und Präsent des preußischen Königs Friedrich Wilhelm I. an den damaligen Zaren, Peter den Großen – an einem sicheren geheimen Versteck in Königsberg vor der Zerstörung bewahrt worden sei. Es gebe, so hieß es, einen Feuerwehrmann aus jener Zeit, tätig vor Ort, der gegen einen Finderlohn dieses

Stadt, Immanuel Kant, der neben Georg Wilhelm Friedrich Hegel bis heute unter Russen bekannteste deutsche Philosoph, findet mehr und mehr respektvolle Erwähnung.

Die Region Kaliningrad stand bereits Mitte der siebziger Jahre längere Zeit für die Errichtung eines gewaltigen deutsch-sowjetischen Kooperationsprojekts zur Diskussion. Nach der Ölkrise 1973/74 wollte sich die Bundesrepublik am Ausbau des bis dahin zur Sicherung ihrer Stromversorgung größten Nuklear-Energie-Zentrums Europas beteiligen. Bei einem offiziellen Besuch von Bundeskanzler Helmut Schmidt in Moskau im Oktober 1974, an dem ich teilnahm, wurde hierüber sehr konkret gesprochen. An der von Bonn geforderten Einbeziehung von West-Berlin ist dieser Plan dann gescheitert.

Diesen Plan »Zone K« hatte ich als Grundgedanken erstmals im Frühjahr 1988 Außenminister Schewardnadse und wenig später Ministerpräsident Ryschkow erläutert. Sie waren beide ziemlich überrascht über so viel vorlauten Mut. Darüber möge man eines Tages reden können, meinten sie, die Zeit sei aber noch nicht reif dafür. Dennoch wird seit Sommer 1989 in Moskau über die »Sonderzone K« heftig diskutiert.

Wenige Monate nach diesem Gespräch über das Projekt einer »Sonderzone K« wurde Professor Abalkin, der auch Mitglied der Akademie der Wissenschaften ist, zum stellvertretenden Ministerpräsiden-

Versteck preisgeben würde. Es wurde über Mittelsmänner viel darüber gesprochen und verhandelt. Mit letzter Sicherheit konnte aber die Glaubwürdigkeit des angeblichen Zeugen nicht festgestellt werden. So unterblieb die Aktion zur Wiederauffindung des berühmten und seit Kriegsende gesuchten Bernsteinzimmers.

ten ernannt. Ryschkow und Abalkin – ein nach meinem Eindruck gutes Gespann.

Doch zurück zu den Blicken, die ich in bisher sorgfältig verhängte sowjetische Fenster tun durfte. Ein solches Fenster war neben der Militärregion Murmansk (und einigen anderen militärischen Sperrzonen des Riesenreiches) das sowjetische Raumfahrtzentrum Baikonur, in das später nur einmal ein westlicher Staatsmann eingeladen wurde. Schon im Jahre 1986 boten mir die Sowjets einen Besuch des berühmten Kosmodroms im fernen Kasachstan an. Man wollte mich offenbar an Ort und Stelle über die Möglichkeit von kommerziellen oder wissenschaftlichen Weltraumflügen westlicher Interessenten unter Nutzung sowjetischer Raketen informieren. Natürlich reizte mich dieses Angebot. Aber die Zeit schien mir für diese Art Kooperation noch nicht reif. Damals herrschte in der Bevölkerung der Bundesrepublik noch große Sorge, ja Angst vor der Bedrohung durch sowjetische SS-20-Raketen, deren Abschußrampen gerade im asiatischen Raum der Sowjetunion stetig weiter ausgebaut wurden. Die Aussicht, die Situation umzudrehen und anläßlich einer solchen Visite aufzuzeigen, daß aus der Bedrohung eine gemeinsame Nutzung des Weltraums zu friedlichen Zwecken durch Deutsche und Russen werden könnte, war verlockend, aber problematisch. Die Sowjets zeigten Verständnis für mein Zögern und akzeptierten es, verbanden damit aber die Hoffnung, schon bald eine Demonstration zuverlässig und pünktlich funktionierender Weltraumdienste liefern zu können – vor allem im Hinblick auf deutsche Aufträge in harter D-Mark.

Nachdem ich den Besuch mit Bonn abgestimmt hatte, vereinbarten wir Ende 1987, daß ich im März 1988 dem Start einer kommerziellen Trägerrakete von der Abschußrampe bei Baikonur beiwohnen sollte. Mein Cicerone war diesmal Alexander Dunajew, der Direktor der Glawkosmos, einer staatlichen Institution, die für die zivile Nutzung der Raumfahrt zuständig ist. Dunajew war ein erfahrener Arrangeur. Er hatte seit Jahren Raketenstarts beigewohnt und eine große Routine in seinem Geschäft entwickelt. Meine Gastgeber gaben sich große Mühe und organisierten einen Sonderflug für mich und meine Begleitung, zu der auch ein Aufnahmeteam des WDR und einige deutsche Journalisten gehörten.

Ich hatte auf dieser Begleitung bestanden, da der Verdacht, ich wolle mich hinter dem Rücken der USA über die sowjetische Weltraumforschung informieren, gar nicht erst aufkommen sollte. Die USA hatten damals den Schock des Challenger-Unglücks vom Januar 1986 noch nicht verkraftet und reagierten auf unsere Kontakte mit der UdSSR äußerst sensibel. Wie tief dieses Mißtrauen saß, hatte ich bei meinem zufällig zum selben Zeitpunkt stattfindenden Besuch im State Department in Washington erfahren können, bei dem es auch um unsere Zusammenarbeit mit der Sowjetunion ging.

Bis kurz vor unserem Abflug in die weit von Moskau entfernte asiatische Republik war es allerdings im gewohnten Moskauer Kompetenzgerangel noch unklar, ob die Journalisten überhaupt mitreisen dürften. Die endgültige Entscheidung traf schließlich Außenminister Schewardnadse selbst, der mich noch am Vortag zu einem Besuch gebeten hatte.

Ich bekam einen besonders hochkarätigen Begleiter zugeordnet: den Drei-Sterne-Luftwaffengeneral German Stepanowitsch Titow, in voller Uniform. Dieser auf Anhieb sympathische Mann ist der inzwischen älteste Astronaut in der langen Reihe von Weltraumfahrern, die die Sowjetunion in eine Erdumlaufbahn geschickt hat. Anfang der sechziger Jahre wurde er zusammen mit dem ersten der eingesetzten Kosmonauten, Gagarin, ausgebildet. Nach Gagarins tragischem Unfall entschied man sich für Titow als Testpiloten, und er hatte 1962 Erfolg.

Unter Führung dieses inzwischen zum Helden der Sowjetunion aufgestiegenen Alt-Astronauten besichtigten wir also die Ausbildungsstätte in Baikonur. Wir sahen die zweckmäßigen, aber bescheidenen Blockhütten, in denen die Kosmonauten unter fachlich-wissenschaftlicher Aufsicht auf ihren Flug vorbereitet werden. German Titow zeigte uns die schmale Pritsche, auf der er zusammen mit Gagarin auf engstem Raum »Testschlafstunden« absolvieren mußte, wobei während des Schlafes Tastgeräte Veränderungen der Körperhaltung registrierten und auswerteten.

Der historische Erstflug von Jurij Gagarin fand am 12. April 1961 statt. Die Sowjetunion war damals den USA um eine gute Nasenlänge voraus. Erst im Februar 1962 gelang es dem ersten Amerikaner, Glenn, die Erde zu umrunden. Glenn ist heute Kongreßabgeordneter im Repräsentantenhaus in Washington. Den Jubel um ihn und die Konfettiparade auf dem Broadway hatte ich damals als junger Austauschbanker an der Wallstreet erlebt. Und nun stand ich in Baikonur neben dem sympathischen sowjetischen Konkurrenten und hörte zu, wie er aus der Pionierzeit der sowjetischen Raumfahrt erzählte. General Titow wies auch stolz auf die breiten Ordensreihen auf seiner Brust hin und zeigte mir ein Photoalbum mit Bildern von einem Besuch im Weißen Haus auf Einladung von John F. Kennedy.

Als wir wenige hundert Meter vor der Startrampe der sowjetischen Wostok-Rakete auf der Beobachtungsplattform standen und die Abschußvorkehrungen verfolgten, legte sich plötzlich ein unangesagter Schneeschleier zwischen uns und das Monstrum. Mit uns eingeladen war eine indische Delegation, da die Rakete einen ersten indischen Satelliten zur Vermessung des Subkontinents ins All befördern sollte. Wir standen wartend und fragend um den Chef von Glawkosmos, Dunajew, herum. Würde die plötzlich verschlechterte Wetterlage den Start nicht verzögern? Dunajew war völlig unbeeindruckt. Er verwies darauf, daß die Erfolgsquote für geglückte Raketenstarts bei 97 Prozent liege. Ein Start könne wegen der auf Sekunden genau berechneten Umlaufposition der Rakete ohnehin höchstens dreißig Sekunden verschoben werden. Und noch während er sprach, hörten wir das urgewaltige Röhren der Rakete, die sich trotz des Schneesturms pünktlich in die Lüfte erhob. Wir klatschten Beifall. Und der indische Botschafter in Moskau, der den Start mitbeobachtet hatte, verschwand sogleich im nahestehenden Übertragungswagen, um seiner Regierung den Erfolg der Aktion mitzuteilen.

Nach dem Start zeigte man uns noch die riesigen Montagehallen, in denen die Flugkörper für neue Vorhaben ausgerüstet und zusammengesetzt werden. Einige Zeit vorher hatte ich die eindrucksvollen und aufwendigen Einrichtungen der NASA in Houston/ Texas gesehen und war erstaunt über die eher schlicht wirkenden Hallen der Sowjets hier in Baikonur. General Titow erahnte offenbar meine Reaktion, denn er sagte fast bescheiden: »Nur was wir verstehen, können wir auch bewältigen.« Er erläuterte, daß es sich um Einwegraketen handele, die auf der Grundlage der ersten Interkontinentalgeschosse mit immer stärker werdenden Triebwerken zu robusten Lastenschleppern ausgebaut worden seien. Das Bewährte würde konsequent mit dem Blick auf größere Aufgaben ausgebaut.

Ihre bisherige scheue Zurückhaltung dem Westen gegenüber hatten die Sowjets offenbar aufgegeben. Dunajew gab erstaunliche weitere Einzelheiten preis. Auf unsere Fragen nannte er, ganz Unternehmer, Fristen und Preise. Ein Beispiel: Wenn heute eine Firma im Westen einen Auftrag erteilt, kann dieser 1990/91 ausgeführt werden. Auch sei man durchaus bereit, einen Astronauten aus der Bundesrepublik in einer sowjetischen Crew mitfliegen zu lassen, im Rahmen einer wissenschaftlichen Mission etwa. Man könne einen entsprechenden Laborraum in einer Mir-Station mieten: für 15 000 Dollar pro Kilo transportierter Last einschließlich der Transportkosten.

Es bleibt abzuwarten, inwieweit bei solchen Preisen ein kommerzieller Wettbewerb auf diesem zukunftsträchtigen Gebiet mit der NASA oder der europäischen Ariane-Espace möglich ist. Begrüßenswert wäre es, denn seit Jahren versuchen wir die Sowjets von der rückständigen Form internationalen Handels mittels Kompensationsgeschäften abzubringen und sie zu einem Handelsaustausch zu animieren, bei dem technologisch entwickelte Produkte oder die geschilderten Dienstleistungen im Vordergrund stehen. Natürlich ist die Gefahr des Dumpings nicht auszuschließen, da keiner im Westen die sowjetische Kalkulationsbasis kennt. Vielleicht kennen die Sowjets sie nicht einmal selbst.

Schließlich zeigte man uns in Baikonur noch etwas Besonderes: einen Gemeinschaftssatelliten zur Erforschung des Mars, der unter Mitwirkung von dreizehn Ländern zunächst den Mars-Planeten Phobus erforschen soll. In aller Stille ist daran auch die Bundesrepublik beteiligt: über die Deutsche Forschungsgemeinschaft. Das Projekt läuft seit 1988. Die Sowjetunion ist federführend.

Den zuständigen wissenschaftlichen Leiter, Herrn Professor Sagdejew, habe ich nach meinem Besuch in Baikonur in seinem Institut am Stadtrand von Moskau aufgesucht und mir die Forschungsaufgabe erläutern lassen. Sagdejew, der stolz darauf ist, als einziger sowjetischer Wissenschaftler der Max-Planck-Gesellschaft anzugehören, machte mir klar, daß die jetzt eingeleitete Mars-Erforschung erst wirklich den Namen Weltraumforschung verdiene. Hier gehe es um interplanetarische Distanzen von 200 Millionen Kilometer und mehr, wogegen der gerade in Baikonur beobachtete Orbitflug mit einer Entfernung von maximal 300 Kilometer von der Erdoberfläche ein kleiner Hupfer sei.

Meine Frage, welches Ziel sich die Wissenschaft denn mit der Erforschung des Mars stelle, führte zu einem ausführlichen Meinungsaustausch über Grundfragen von Mensch und Kosmos schlechthin. Beim Marstrabanten Phobus wolle man zum Beispiel wissen, ob dieser Planet in geophysischer Vorzeit vom Mars abgestoßen oder von ihm angezogen worden sei. Da mich diese Antwort nicht ganz befriedigte, bohrte ich weiter. Und so erfuhr ich, daß man mit diesem Projekt auch eine Antwort auf die Frage suche, worin letzten Endes der Mensch seinen erdgeschichtlichen Ursprung habe. Was aber sei zu folgern, wollte ich nach langem Disput wissen, wenn man auf diesem Wege nicht zu einer Antwort käme. Und da stieß der sowjetische Wissenschaftler spontan, fast mit einem Schrei, aus: »Ja, dann muß ich Gott fragen!«

Der Großversuch der Sowjets, den Marstrabanten Phobus zu erforschen, ist fehlgeschlagen. Beide Satelliten, im Juli 1988 in Baikonur gestartet, erreichten das Ziel nicht. An der Ausstattung der Sonden war auch die Europäische Raumfahrtbehörde ESA beteiligt. Phobus 2 – die Gesamtkosten allein für dieses Vorhaben betrugen über 850 Millionen D-Mark – hat immerhin Bilder vom Marsmond aus einer Entfernung von 150 Kilometer übertragen. Sie sollen in ihrer Qualität die bisher besten Aufnahmen durch eine US-Sonde übertreffen.

Verunsicherung bei unseren Verbündeten

Schon in den siebziger Jahren verfolgten die USA unsere Kreditverhandlungen mit der Sowjetunion mit einer Haltung, die ich als »distanzierte Aufmerksamkeit« kennzeichnen möchte. Ab 1981, mit Beginn der Ära Reagan, änderte sich dies jedoch. Die aufsehenerregenden Anmerkungen des neuen amerikanischen Verteidigungsministers Weinberger zur Verschuldungsproblematik Polens (»Kreditwaffe«) habe ich schon erwähnt. Eine deutlich kritische Einstellung zu unseren Ost-Kontakten zeigte auch bald der neue Chef des State Department, Alexander Haig. Es war zu vermuten, daß der Präsident ähnlich dachte wie sein Außenminister. Bei seiner ersten Pressekonferenz nach seiner Amtseinführung hatte Reagan in bezug auf die Sowjetunion die aggressiv negativen Formulierungen als Amtsinhaber bestätigt, die man bei ihm als Gouverneur von Kalifornien oft zu hören bekommen hatte.

Der Zeitabschnitt fiel zusammen mit der Schlußphase der Verhandlungen mehrerer europäischer Verbündeter über das Jamal-Pipeline-Geschäft (Kredite und Ausrüstung gegen Gaslieferungen). In der Schußlinie standen von vornherein die Bundesrepublik

Deutschland und, da ja bei uns nur auf privater Basis verhandelt wurde, die beteiligten Firmen. Die Vorwürfe waren nicht neu: Anreicherung der Kriegskasse der Sowjetunion mit wertvollen Devisen, Gefahr der Abhängigkeit in der empfindlichen Energieversorgung vom Willen Moskaus bis hin zu politisch-militärischer Schwächung der NATO.

Im Frühjahr 1982 erfuhr ich, daß Präsident Reagan auf Vorschlag von Alexander Haig eine Sonderdelegation hoher Regierungsbeamter unter Führung des Unterstaatssekretärs Buckley nach Europa schicken wolle, um die mit Moskau in Verhandlung stehenden verbündeten Länder kritisch zu befragen. Die Delegation setze sich, so erfuhr ich weiter, aus Vertretern mehrerer Ministerien und staatlicher Offizien zusammen; neben dem Außenamt seien das Verteidigungs-, das Handels- und das Finanzministerium beteiligt, aber auch der Sicherheitsrat. Nun, wir mußten noch ein wenig warten, denn die Herren saßen in Washington auf gepackten Koffern, bis das endgültige »go ahead« aus dem Weißen Haus kam.

Ich wurde gefragt, ob ich mich als einziger Vertreter einer Privatinstitution zu einer Befragung bereit erklären würde. Ich sagte zu, denn ich war meiner Sache sicher, wenn ich auch davon ausgehen mußte, ziemlich in die Zange genommen zu werden.

Der Austausch war auf einen Sonntagnachmittag in der amerikanischen Botschaft in Bonn–Bad Godesberg angesetzt. Die Amerikaner waren am Vormittag, aus Washington kommend, in Frankfurt gelandet. In Bonn sollte am Wochenanfang auch das erste Gespräch mit Regierungsvertretern stattfinden. Als ich pünktlich in der Botschaft erschien und nach oben in den Verhandlungsraum geführt wurde, fragte ich meinen Begleiter aus der Botschaft, wie sich denn die Delegation nach Hard- und Softliners zusammensetze. Er schaute mich verwundert an und entgegnete: »Softliners? Nur Hardliners!« Ehe ich den Saal betrat, wußte ich also, auf welche Grundeinstimmung ich treffen würde.

Dann saß ich sieben Herren in dunklen Anzügen gegenüber, die mich mit ernsten Mienen musterten. Offenbar wollten sie mit mir eine Art Probegalopp für ihre am nächsten Morgen beginnenden Gespräche mit der Regierung anstellen; bei mir ohne jede Verbindlichkeit natürlich. Die inquisitorische Befragung verlief fast genau nach dem Schema der aufgezeigten Vorwürfe. Ich hatte den Eindruck, mir vorgefertigte und eingeübte Formeln anhören zu müssen. Als ich endlich zu Wort kam, sprach ich meine Gegenüber auf den historischen Hintergrund an, vor dem unsere Gespräche in der Sowjetunion abrollten: auf die jahrhundertelange Wechselwirkung in den Beziehungen zwischen Russen und Deutschen; auf die Beobachtungen und Erfahrungen, die ich selbst bei meinen vielen Reisen in dieses Land gemacht hatte. Ihre Antworten vermittelten mir den Eindruck, daß sie wenig mit der besonderen Problematik des geteilten Deutschland, mit der Gesamtsituation Europas im Zustand des Kalten Krieges zwischen Ost und West vertraut waren. Ich verwies auf die zentrale Lage unseres Landes in der geschichtlichen Entwicklung Europas, in deren Verlauf wir wie kein anderes Land in die Spannungen und Konflikte dieses Erdteils verwickelt worden seien. Aus unserer Sicht könnten wir uns, so betonte ich, mit dem derzeitigen Zustand in Europa nicht abfinden. Wir versuchten daher, mit dem Ausbau geschäftlicher Kontakte einen bescheidenen Beitrag zu einer sehr mühsamen und langwierigen Entspannung zu leisten.

Bei ihrer, der amerikanischen Betrachtung, so fuhr ich fort, sollten sie doch nicht übersehen, daß sie sich ihr Urteil über das Verhalten ihrer Verbündeten aus der sicheren Entfernung von Tausenden von Meilen mit einem Ozean dazwischen bildeten, während für die Deutschen die sowjetischen Panzer in nur 200 Meilen Entfernung vom Rhein startbereit stünden. Dies sei eine Bedrohung, die wir Deutschen nicht ignorieren könnten. Die Frage der Bündnis-Loyalität den USA gegenüber bleibe davon unberührt. Die Bundesrepublik, so betonte ich nachdrücklich, sei ein zuverlässiger Verbündeter.

Als ich die Tür des Besprechungsraums hinter mir schloß, wußte ich nicht, ob ich meine sehr selbstbewußten Gesprächspartner mit meinen Argumenten überzeugt hatte. Irgendwie hatte ich heraushören können, daß sie mich in meiner Rolle als langjähriger, kritisch beobachteter Verhandlungsführer in Sachen Kredite für die Sowjetunion für eine Art Symbolfigur hielten.

Da immer wieder die Frage nach der deutschen Bündnistreue gestellt wurde, habe ich diese Sorge der USA nie auf die leichte Schulter genommen. Dabei waren die Amerikaner noch relativ harmlos. Ihre Befürchtungen gingen nie so weit wie die einiger unserer europäischen Nachbarn, bei denen es latent den Tauroggen-Komplex (vgl. S. 249) gibt. Das habe ich gerade in Frankreich, in Gesprächen mit durchaus aufgeschlossenen, uns freundlich gesinnten Franzosen zu spüren bekommen. Bei den weniger geschichtsbewußten Amerikanern dagegen ist eher der Vorwurf zu hören, wir seien »too soft on the Russians«. Hier scheint mir weniger böse Absicht als Mangel an Information vorzuliegen. Ich gab mir daher, wo immer möglich, größte Mühe, diesem Defizit unseres wichtigsten Bündnispartners zu Leibe zu rücken, und das in erster Linie in Washington.

Damals halfen mir, wie bereits angemerkt, meine recht guten Verbindungen zum Handelsminister der Reagan-Administration, Baldridge. Daß wir uns trotz kontroverser Themen immer gegenseitig respektierten, kam mir bei einem besonders wunden Punkt in den deutsch-amerikanischen Beziehungen zugute: der sogenannten COCOM-Liste. Als größter westlicher Handelspartner der Sowjetunion rieben wir Bundesdeutschen uns ganz besonders an ihr, aber anderen westlichen Ländern ging es ähnlich.

Über Jahre hinweg habe ich kaum eine Verhandlung in Moskau erlebt, bei der die Sowjets nicht ihrem Ärger über diese Liste Luft machten. Zuweilen protestierten sie formell dagegen. Sie empfanden sie als eine Diskriminierung und gaben unverhohlen zu verstehen, daß wir uns als unabhängiges Land von dieser amerikanischen »Bevormundung« doch freimachen sollten. Bei einem offiziellen Besuch in Bonn im Januar 1988 tat Außenminister Schewardnadse vor Vertretern der deutschen Wirtschaft den Ärger der sowjetischen Regierung über die Regelung der Exportkontrollen militärisch relevanter Technologien mit einer Deutlichkeit (»verdammte COCOM-Liste«) kund, die nichts zu wünschen übrigließ. Im Prinzip hatten wir Verständnis für die Notwendigkeit gewisser Exportrestriktionen, soweit sie eindeutig militärisches oder militärisch verwendbares Gut betrafen und solange der Warschauer Pakt in seiner bisherigen Form existierte. Verdruß bereitete es uns aber von jeher, daß die Verbotsliste unübersichtlich lang war und keine klaren Daten hinsichtlich der Anwendbarkeit enthielt. So konnte es nicht ausbleiben, daß der Verdacht aufkam, die Aufmachung gewisser Listen sei nicht ohne Absicht so verklausuliert, der Absicht nämlich, den europäischen Exporteuren Hindernisse für den Ausbau des Handels mit der Sowjetunion in den Weg zu legen.

All dies verlor ich nicht aus dem Auge, wenn ich eine Reise in Richtung Westen, in die amerikanische Bundeshauptstadt, machte. Neben meinen Gesprächen im Handelsministerium hatte ich Gelegenheit, mit einem Mitglied des National Security Council, Professor William Stearman, und mit Herrn Mutlock, dem späteren Botschafter der USA in Moskau, meine Gedanken auszutauschen. Vor allem mit »Bill« Stearman führte ich mehrstündige Unterhaltungen. Bill war ein weiser älterer Experte, der inzwischen fünf amerikanische Präsidenten beraten hatte. Seine Erfahrungen mit Europa waren über Jahrzehnte gereift, sein geschichtlicher Fundus war geradezu ungewöhnlich. Mit guten Gründen empfand er sich der Sowjetunion gegenüber als ein Hardliner, was mir das Argumentieren oft nicht leichtmachte. Aber das hinderte uns nicht, darin übereinzustimmen, daß die nun schon so lange dauernden Spannungen zwischen Ost und West auf nüchterne, äußerst vorsichtige und schrittweise Art abgebaut werden könnten und müßten. Von dritter Seite erfuhr ich, daß Professor Stearman das Weiße Haus über unseren Gedankenaustausch unterrichtet habe.

Mit der Übernahme der höchsten Verantwortung im Kreml durch Gorbatschow im Frühjahr 1985 wuchs in Washington das Interesse an in der Politik der Sowjetunion zu erwartenden Veränderungen. Die Reaktion darauf war aber nach meinen Beobachtungen zunächst außerordentlich behutsam und zögernd. Dafür gab es sicherlich gute Gründe: Zu oft hatte man in der Vergangenheit Entspannungssignale aus dem Kreml in Richtung Westen erhalten, die aus einer akuten Notlage auf sowjetischer Seite resultierten; zu einer Lockerung der grundsätzlich adversen Einstellung hatte es dennoch nie gereicht; denn ein Abklingen der militärischen Bedrohung des Westens war aus solchen Signalen ja nicht abzulesen gewesen. Kurz, die Neugierde um den neuen Mann im Kreml war groß, aber die Skepsis überwog.

Anfang 1986 teilte ich Staatssekretär Wallis im State Department, den ich von früheren Besuchen kannte, meine Erfahrungen mit der neuen, noch in der Formierung befindlichen Mannschaft in Moskau mit. Wieder wurde mir bewußt, wie groß und zählebig die Befangenheit zwischen den beiden Supermächten war. Wenig später traf ich Jack Koehler, einen Berater des Präsidenten. Er hatte sich vorher eingehend über meine Beobachtungen im »neuen« Moskau und mein erstes ausführliches Gespräch mit Gorbatschow unterrichten lassen. Durch Koehler kam ich in Kontakt mit Charles Wick, einem engen Vertrauten von Ronald Reagan. Wick war als Direktor der »International Information Agency« gerade dabei, ein »International Advisory Committee« zusammenzustellen. Ich wurde eingeladen, diesem Gremium beizutreten. Es setzte sich je zur Hälfte aus Vertretern der Medien und der Wirtschaft aus der ganzen westlichen Welt zusammen und sollte der US-Administration ein ungeschminktes Bild von der Wirkung ihrer Politik vermitteln sowie Empfehlungen an die westliche Führungsmacht ausarbeiten.

Natürlich nahmen die Person und die Politik Gorbatschows den breitesten Raum in den Diskussionen ein. So erfuhr ich aus erster Hand, welches die Meinungen in den verschiedenen westlichen Ländern dazu waren und welche Wirkung die neue Moskauer Politik auf sie ausübte. Und ich nutzte die Gespräche, um meine eigenen Erfahrungen und Beobachtungen in den Meinungsbildungsprozeß einzubringen.

Im Spätsommer 1987 bereitete sich die amerikanische Hauptstadt darauf vor, Michail Gorbatschow zu seinem ersten Besuch in der Befehlszentrale der westlichen Welt zu empfangen. Jack Koehler war mir inzwischen zu einem vertrauten Gesprächspartner geworden. Er regte an, daß ich dem Präsidenten doch ein Kurz-Memorandum mit meinen Ansichten über die Stellung und Meinung des Generalsekretärs in der Moskauer Politik zuleiten möge. Ich ging gern darauf ein. Während einer Sitzung des neugeschaffenen »International Advisory Committee« luden uns Ronald Reagan und seine Frau Nancy zum Luncheon ins Weiße Haus ein. Ich saß am Tisch des Präsidenten. Er bedankte sich für mein Memorandum, und ich stellte zu meiner Verblüffung fest, wie locker und offen er sich trotz seiner früheren Kraftausdrücke – vom »evil empire« etwa – auf die Begegnung mit Michail Gorbatschow vorbereitete.

Bei einer späteren Einladung ins Weiße Haus, im Juni 1988, saß ich neben Nancy Reagan. Sie war noch voller Eindrücke von der Moskau-Reise Ende Mai. Die Erste Dame der USA gab sich sehr natürlich und gesprächig und schilderte lebhaft, welchen Eindruck vor allem die Menschen auf den Straßen Moskaus auf sie gemacht hatten. Im Künstlervorort Peredelkino, wo Pasternak lebte und begraben ist, hat sie einen sowjetischen Schriftsteller besucht. Als sie nachher, so schilderte sie, ihrem Wagen zustrebte, traten ein paar einfache Frauen aus der Nachbarschaft mit einem kleinen Blumenstrauß, von den Sicherheitsbeamten nicht behelligt, auf sie zu. »Frau Präsidentin, sagen Sie uns: Gibt es Krieg zwischen den USA und der Sowjetunion?« Nancy Reagan: »Ich faßte mich schnell, nahm die Blumen dankend an und sagte: ›Mein Mann und ich sind hierhergekommen, um zu verhindern, daß es einen Krieg gibt.‹« Ich konnte Nancy Reagan ansehen, wie sehr sie diese kleine Szene am Rande des großen Protokolls bewegt haben mußte.

In der Weltpresse war kolportiert worden, daß die beiden Ersten Damen Nancy Reagan und Raissa Gorbatschowa sich nicht gerade auf Anhieb verstanden hätten, daß es gewisse Spannungen zwischen ihnen gebe. Natürlich hätte ich meine Tischnachbarin gern gefragt, was daran wahr sei, wollte aber nicht indiskret wirken.

Gewisse Vergleiche zwischen den beiden glaube ich indes ziehen zu können. Denn beim Friedenskongreß in Moskau im Februar 1987 sowie beim Staatsbesuch des Ehepaares Gorbatschow in Bonn im Juni 1989 hatte ich die Möglichkeit gehabt, mich mit Frau Gorbatschowa zu unterhalten. Ich fand sie blitz-

23

24

Dreistündiges Gespräch im Kreml am 19. März 1988 auf Einladung von Ministerpräsident ɾschkow. Von links: stv. Ministerpräsident Kamenzew, Axel Lebahn, Ministerpräsident Rysch- ʍ, Vorsitzender des Präsidiums der Außenhandelsbank der UdSSR Moskowski, F. W. Christians, . Ministerpräsident Antonow, Botschafter der Bundesrepublik Deutschland in der UdSSR ːyer-Landrut · 24 Mai 1988: Vorvertrag über einen Drei-Milliarden-DM-Rahmenkredit zur ɔdernisierung der Konsum- und Nahrungsmittelindustrie: stehend 4. v. links: stv. Ministerpräsi- ıt Antonow; 5. v. links: Botschafter der UdSSR in der Bundesrepublik Deutschland Julij ʌizinskij

25 Begrüßung im Kreml durch Generalsekretär Gorbatschow am 18. April 1985
26 Gespräch im Kreml. Von links: Generalsekretär Gorbatschow, Gosbank-Präsident Alchimo Sekretär des Politbüros, Axel Lebahn, Vertreter der deutschen Botschaft in Moskau, Alexand Arnot, F. W. Christians

27

28

7 Mit Raissa Gorbatschowa
8 Gespräch zwischen Außenminister Schewardnadse und F. W. Christians im Außenministerium
er UdSSR am 15. März 1988

29 Begrüßung im Weißen Haus durch US-Präsident Ronald Reagan im Oktober 1987

gescheit und sehr gewandt und räume gerne ein, daß mich ihr Charme beeindruckt hat. Ein Kommilitone von Michail Gorbatschow aus der gemeinsamen Studienzeit hatte mir früher einmal einige amüsante Begebenheiten aus beider Leben erzählt. Doch so unterschiedlich nach Herkunft und Erziehung beide »First Ladies« auch sein mochten, an der Stärke ihrer Persönlichkeit und damit ihres Einflusses auf die beiden mächtigsten Staatsmänner der Welt konnte es für mich keinen Zweifel geben.

Das amerikanische Mißtrauen unseren Verhandlungen in Moskau gegenüber schwoll nach dem ersten direkten Kontakt zwischen Reagan und Gorbatschow merklich ab. Der Informationsfluß klappte besser, man stand in ständigem Kontakt. Aber rückblickend kann ich nicht leugnen, jahrelang in jenem diffizilen Spannungsfeld zwischen Moskau und Washington agiert und darunter zuweilen gelitten zu haben.

Auch war es nicht immer einfach, in Bonn volles Einverständnis für unser Vorgehen zu finden. Das war bei der politischen Großwetterlage jener Jahre nicht weiter verwunderlich. Während die Politik tastend und sich gegenseitig belauernd abwartete, etablierten wir Banker, sozusagen auf einem Parallelweg, immer tragfähigere Kontakte mit den Sowjets. Und da unsere Partner in der Sowjetunion, der politischen Struktur des Landes entsprechend, nicht reine Wirtschaftler, sondern auch immer staatliche Funktionäre waren, gerieten wir zwangsläufig auf ein Terrain, das der Politik vorbehalten war. Das machte, wie wiederholt geschildert, unsere Sache nicht gerade leicht.

Meinem von Anfang an geltenden Grundverständnis bin ich dabei immer treu geblieben: konsequent nach allen drei Seiten zu sein, nach dem Grundsatz, daß die Bundesrepublik Deutschland ein zuverlässiger Partner im Westbündnis ist, sich aber aus ihrer zentralen Position in Europa heraus einen – vor allem ökonomischen – Spielraum nach Osten hin schaffen muß. Es erfüllt mich mit einer gewissen Genugtuung, daß wir auf diesem Pfad Schritt für Schritt weitergekommen und heute auf einem guten Weg sind.

Nun, Widerstände dagegen hat es nicht nur im öffentlichen Bereich gegeben. Wegen meiner Verhandlungen in der Sowjetunion sah ich mich auch im Freundeskreis, ja in der eigenen Familie Kritik, zuweilen Vorwürfen, ausgesetzt.

Dafür ein eher amüsantes Beispiel. Nach dem folgenschweren Unfall im Kernreaktor von Tschernobyl Ende April 1986 rief mich meine Tochter, Studentin in München, aufgeregt an. Man muß sich in den Zustand großer Erregung und Ungewißheit zurückversetzen, welcher die Menschen in Westeuropa damals ergriffen hatte. Zuweilen grenzte die Reaktion an Panik, da kaum jemand die drohende Langzeitschädigung für die Fortpflanzung und die Nutzung landwirtschaftlicher Produkte sicher beurteilen konnte. Mitten aus einer Diskussionsrunde mit Kommilitonen über die alarmierenden Nachrichten aus dem Osten rief mich also meine Tochter an: »Dein Gorbatschow hat uns diese Katastrophe beschert!« warf sie mir vor. Ich hätte, so fuhr sie fort, diesen Herrn ja gut kennengelernt und ein ausgiebiges Gespräch mit ihm geführt. Danach, so hätte ich gemeint, sei dieser Generalsekretär nicht mit seinen Vorgängern vergleichbar, und wir hätten vielleicht die Chance auf eine wirkliche Entspannung. Und nun dieses in seinen Ausmaßen unabsehbare Unglück! »Und Gorbatschow schweigt!«

In der Tat waren wir in jenen Tagen alle völlig konsterniert. Es war unverständlich, warum die Sowjetregierung fast drei Wochen brauchte, ehe sie eine plausible Erklärung zu diesem in der Welt bis dato einmaligen Atomunfall lieferte. Glasnost und Perestroika steckten damals noch in ihren Anfängen. Und natürlich hatte ich nicht die geringste Möglichkeit, das Informationsdefizit des Westens – und meiner Tochter – zu verkürzen.

Die Entspannung setzt andere Akzente

Meine vielen Kontakte in Moskau brachten es mit sich, daß ich in fast ständigem Austausch mit der sowjetischen Botschaft in Bonn stand. Gute, beiderseits gepflegte Beziehungen von Haus zu Haus waren nützlich, denn die Reisen mußten, was die Formalitäten wie die Thematik anging, sorgfältig vorbereitet werden. Lag eine Reise hinter mir, so habe ich das dabei Erfahrene oft in Gesprächen in der Botschaft rekapituliert und vertieft. Sowjetische Botschafter in Bonn sind, so dünkt mich, von Moskau immer sehr sorgfältig ausgesucht worden. Aus dieser Sorgfalt kann man den Stellenwert ermessen, den die Sowjets der Bundesrepublik einräumen.

Im Moment der Niederschrift dieser Notizen kann ich auf gute, oft freundschaftliche Kontakte zu vier sowjetischen Botschaftern am Rhein zurückblicken. Ende der sechziger Jahre, als ich mich auf meine erste Reise nach Moskau vorbereitete, war die Sowjetunion durch Herrn Semjon Zarapkin in Bonn vertreten. Sein Aufenthalt fiel mit dem Übergang von der »Großen Koalition« unter Kiesinger zur sozialliberalen Regierung unter Brandt zusammen. Es war die Zeit der sogenannten Ostverträge, deren Herzstück der von Willy Brandt und Leonid Breschnew im August 1970 geschlossene »Moskauer Vertrag« war. Dieser Vertrag machte den Weg frei für ähnliche Vorhaben mit dem Ziel, die Entspannung auch mit anderen Staaten des Warschauer Pakts voranzutreiben. Mit Zarapkin, der leider nicht Deutsch sprach, aber sich mit Englisch zu helfen wußte, waren die Kontakte nicht immer einfach. Aber er war ein routinierter Diplomat und hatte einen guten Schuß russischen Humors, und so klappte die Verständigung letztlich immer.

Dann kam Valentin Falin, ein ganz besonderes Kaliber. Bis 1978 hatte er vielfach Gelegenheit, sein außerordentliches Geschick unter Beweis zu stellen. Ausgestattet mit einem überragenden Intellekt, umfassenden Kenntnissen der deutschen Sprache und Geschichte, schnell vertraut mit den einzelnen Regionen der Bundesrepublik, hinterließ er nachhaltige Spuren im deutschen öffentlichen Leben. Er knüpfte weitgespannte Kontakte, die noch heute beiderseits hilfreich sind. In vielen Gesprächen habe ich seinen scharfen Verstand und seine geschliffene Dialektik bewundern können. Es war nicht leicht, ihn in Verlegenheit zu bringen.

Nach der Unterzeichnung des Helsinki-Abkommens im August 1975 wollte ich mir von ihm erläutern lassen, wie er sich die Anwendung des sogenannten Korbes III der Akte, welcher den Schutz der Ausübung der Menschenrechte in den 35 Unterzeichnerstaaten betrifft, in der Sowjetunion vorstelle. Nach meinen bisherigen Erfahrungen konnte ich mir nicht vorstellen, wie zum Beispiel der freie Austausch von Menschen und Informationen, also eine gewisse Öffnung der sowjetischen Grenzen zum Westen, vor sich gehen sollte. Reisen ins westliche Ausland oder das Beziehen von Informationen aus demselben waren Sowjetbürgern ja bis dahin, mit verschwindend geringen Ausnahmen, untersagt. Umgekehrt waren wir Besucher aus der kapitalistischen Welt daran gewöhnt, bei der Einreise hochnotpeinlich kontrolliert zu werden, etwa so, wie man das heute bei Drogenhandel-Verdächtigen macht. Nun, Falin zog sich mit einem Meisterstück von Dialektik aus der Falle. Was der Sowjetmensch brauche oder nicht, besser gesagt: *noch* nicht brauche, und das im Hinblick auf die »evolutiven« Bestimmungen der Akte von Helsinki, sei ein langer zeitlicher Prozeß, der von vielen Fakten und Imponderabilien abhänge, was aber die Sowjetunion nicht hindere, Helsinki voll zu erfüllen. Ich hörte ihm aufmerksam zu, aber er wird gespürt haben, daß er mich nicht überzeugte.

Als Falin 1978 nach Moskau zurückkehrte, hatte ich kurz vor seiner Abreise noch einmal ein abschließendes Gespräch mit ihm, in dem wir das Resümee eines mehr als sieben Jahre dauernden Austauschs über unsere gemeinsamen Aufgaben zogen. Nachdenklich, fast elegisch ließ er mich wissen, wie sehr ihn seine Mission in diesem Lande ergriffen und gefordert habe. Da ich in jener Zeit fast regelmäßig nach Moskau reiste, war nur natürlich, daß wir eine Fortsetzung unserer Kontakte vereinbarten. So habe ich ihn später in Moskau wiederholt getroffen. Inzwischen gehörte er zu einer Art Brain-Trust im Zentralkomitee, der sich mit auswärtigen Beziehungen befaßte. In ihm saßen auch die in Bonn bekannten Herren Samjatin, später Botschafter in London, und Portugalow, einer der besten Deutschlandkenner im Kreml, der in den sechziger Jahren an der sowjetischen Bonner Botschaft tätig gewesen war.

Mir fiel auf, daß Falin damals in Moskau nicht den glücklichsten Eindruck machte. Das änderte sich, als er – unter Gorbatschow – Chef von »Nowosti« wurde, jener für den Nachrichtenaustausch mit dem Ausland so wichtigen Informationszentrale. Seit Herbst 1988 ist Falin für die Internationale Abteilung des Zentralkomitees zuständig – als Nachfolger von Alexander Dobrynin.

Auch Dobrynin habe ich als eine welt- und sprachgewandte Persönlichkeit und als äußerst bedeutend für die Meinungsbildung in Moskau kennengelernt. Er war mit weitgehenden Vollmachten ausgestattet und hatte, ehe er Chef der Internationalen Abteilung des Zentralkomitees wurde, sein Land mehr als zwanzig Jahre als Botschafter in Washington vertreten.

Es scheint mir wichtig, daß mit Falin anstelle eines im angelsächsischen Bereich erfahrenen Diplomaten nunmehr an der Spitze der Internationalen Abteilung ein Mann tätig ist, der besondere Kenntnisse und Erfahrungen über die Bundesrepublik Deutschland vorweisen kann, auch wenn der Posten gegenüber der Dobrynin-Ära, wie ich höre, ein wenig heruntergestuft worden sein soll. Herr Falin ist und bleibt eine für uns besonders wichtige Anlaufadresse in Moskau, wo seine Kontakte mit der Bundesrepublik sehr geschätzt werden. Einer breiteren deutschen Öffentlichkeit ist er inzwischen auch als routinierter Medienmann bekannt, was ihm in Moskau den Ruf des »Kummerkastens der Deutschen« einbrachte.

In Bonn folgte auf Falin 1978 Wladimir Semjonow, von dem hier schon oft die Rede war. Er gehörte zweifellos zur »alten Garde« und zum festen Moskauer Bestand erfahrener Berufsdiplomaten. Selbst einmal stellvertretender Außenminister, verfügte er über breite Kontakte quer durch die Moskauer Administration. Als nach dem Tode Breschnews 1983 Andropow, dieser zu Reformen entschlossene, fähige Politiker, den Semjonow offenbar gut kannte und von dem er mir oft erzählt hatte, zu dessen Nachfolger berufen wurde, war ihm eine große Erleichterung anzumerken. Wie viele mit ihm erwartete Semjonow tiefgreifende Veränderungen. Um so größer waren dann seine Trauer und Enttäuschung über die viel zu kurze Dienstzeit des so früh Verstorbenen.

Ich erwähnte bereits, wie sehr ich an Semjonow die Eigenschaft schätzte, auch nach schwierigsten Diskussionen immer wieder das Terrain menschlich-künstlerischen Austauschs zu finden. An ihm konnte ich über viele Jahre verfolgen, wie der offizielle Repräsentant einer Regierung seine Rolle als Sachwalter der Interessen Moskaus gewissenhaft wahrnahm, oft in äußerst delikaten Situationen, wie nach dem Einmarsch der Sowjettruppen in Afghanistan oder nach dem Nachrüstungsbeschluß des Bundestages zur Aufstellung der Pershing-Raketen gegen sein Land.

Unsere unzähligen Begegnungen brachten für mich viele neue Einsichten und Erkenntnisse. Wie gesagt, auch in schwierigsten und kontroversen Situationen bewahrten wir gegenseitigen Respekt. Nach Semjonows Abschied aus Bonn haben wir einen guten Kontakt beibehalten und uns bei verschiedenen Gelegenheiten in der Sowjetunion und in der Bundesrepublik getroffen.

Oberster Dienstherr der sowjetischen Diplomaten

war inzwischen Eduard Schewardnadse geworden. Auch beim Wechsel im Amt des Außenministers von Gromyko zu Schewardnadse war die Änderung in Stil und Inhalt der Politik durch die Person offenkundig. Ich hatte Gromyko einige Male bei seinen Besuchen in Bonn, sei es als Begleiter des Generalsekretärs Breschnew, sei es allein, beobachtet. Für mich war er der lebendige Beweis der gewollten Konfrontation, der bewußten Machtpräsentation als der Grundlinie der sowjetischen Außenpolitik. Ich hatte nur einmal Gelegenheit zu einem Gespräch mit ihm anläßlich eines ihm zu Ehren gegebenen Essens der Bundesregierung auf Schloß Gymnich. Mir fiel auf, daß er wenig Interesse und auch wohl kaum Kenntnisse auf wirtschaftspolitischem Gebiet hatte. Fragen hierzu bereiteten ihm nach meinem Eindruck eher Unbehagen. Verständnis oder gar Impulse waren von daher also für unsere Kooperation nicht zu erwarten.

Fast zur gleichen Zeit kam es bei der Eröffnung der UN-Vollversammlung in New York durch Präsident Reagan zu einer vielleicht nur nebensächlichen, in meinen Augen aber bezeichnenden Szene. Wohlgemerkt, es war die Zeit, in der sich die Supermächte gegenseitig lautstark für die Aufrechterhaltung des Spannungszustandes in der Welt verantwortlich machten. Plötzlich unterbrach Präsident Reagan in seiner unnachahmlichen, wirkungsvollen Art – vermeintlich einer Eingebung folgend, sicherlich aber vorher genau geplant – seine Rede beim Thema »Weltfrieden« und sprach Andrej Gromyko direkt an. »Herr Gromyko«, so meinte er ganz locker, »Sie sitzen hier vor uns, in unmittelbarer Nähe des Außenministers der USA, Shultz, nur zwei Reihen vor ihm. Wenn Sie sich umdrehen, können Sie ihm sogar die Hand reichen. Sprechen wir doch miteinander!« Abwechselnd wurde auf dem TV-Schirm in Großaufnahme das freundliche, entspannte Gesicht von Präsident Reagan und das verschlossene, finstere Gesicht von Gromyko gezeigt, dem erkennbar die Röte ins Gesicht schoß, während die slawischen Backenknochen mahlten. Nicht der Anflug einer zustimmenden Reaktion oder gar Geste war zu sehen. So wie man Gromyko seit fast drei Jahrzehnten kannte, hatte dies auch wohl niemand erwartet. Er war über eine lange Periode ein zuverlässiger »Njet«-Sager – auch ein Zeichen von Berechenbarkeit, wenn auch einer negativen.

Nun also kam Eduard Schewardnadse, ein Georgier, auf diesen Stuhl. Mir war in Moskau längst aufgefallen, wie sehr sich ein gewisser Proporz bei den verschiedenen Völkerschaften auch in der Besetzung von hohen Staatsämtern niederschlug. Dabei gewann das oft eintönige und uniforme Erscheinungsbild, vor allem durch Vertreter aus den Südrepubliken – zumindest für den Fremden –, an willkommenen Farbtupfern. Wir empfinden vielleicht ähnlich, wenn wir nüchternen Nordeuropäer etwa im EG-Verbund Vertreter aus südlichen Mitgliedsländern erleben; obwohl auch das nicht generell zutrifft. So stammte der Jesuitenzögling Jossif Wissarionowitsch Dschugaschwili, genannt Stalin, aus Tiflis; er war also Südländer wie Schewardnadse. Und doch sind größere Gegensätze kaum denkbar.

Schewardnadse ist ganz im Sinne Gorbatschows unentwegt bemüht, die erkannten Verwerfungen in der sowjetischen Außenpolitik, beginnend mit der Stalin-Ära, zu glätten. Anders als Gromyko vermittelte er in unseren Gesprächen den Eindruck, auch in Wirtschaftsfragen nicht nur voll informiert, sondern auch engagiert zu sein. Letztlich verwundert dies nicht, da wir ja wissen, wie sehr die Dinge auf diesem Gebiet in der Sowjetunion im argen liegen und daß die Bewältigung der wichtigsten Versorgungsprobleme praktisch zum Testfall für das gesamte Reformprogramm geworden ist.

Dazu gehört unverzichtbar die Managementausbildung bzw. die Unternehmensberatung. So anspruchsvoll sollte vielleicht noch gar nicht formuliert werden. Zunächst geht es ganz einfach darum, in gehöriger Breite Elementarkenntnisse betrieblicher Rechnungslegung zu vermitteln, etwa die Kostenermittlung oder die Kalkulation. Solange aber nicht einmal die Stückkosten von Produkten errechnet werden können, kann auch keine Kalkulation erfolgen. Was nutzt es, den Betrieben eigene Verantwortungen aufzuerlegen, um zu größerer Effizienz zu gelangen, wenn praktisch keine Basis, kein Humus vorhanden ist, auf dem dann neue Triebe wachsen können. Anders als in China gibt es in der UdSSR kein Erfahrungswissen aus früherer Zeit, an das man anknüpfen könnte, weil es sich auch zur Zarenzeit kaum hat bilden können.

Schon vor Jahren hatte ich eine engagierte Diskussion mit den Planungsfunktionären, die nach Ansatzpunkten für eine systematische Ausbildung suchten. Ich habe dabei klarzumachen versucht, daß eben bei den zum Handeln verpflichteten Menschen nicht einfach wie beim Computer ein anderer Chip eingelegt werden könne, um »neues Denken« zu erreichen. Die gesamte geistige Infrastruktur sei durch viele Generationen geradezu entgegengesetzt verlaufen. Dies könne nur Schritt für Schritt geändert werden oder »herauswachsen«, was ein großes Zeitproblem für dieses Riesenland bedeuten würde. Außerdem müsse wohl auch berücksichtigt werden, daß der russische Mensch seiner Mentalität nach, auch dies anders als beim Chinesen, von vornherein weniger Erwerbssinn mitbringe.

Nach meiner Einschätzung sind Beratung und Ausbildung die vordringlichste Aufgabe in den Unterstützungsbemühungen des Westens, wenn die Reformpläne auf Dauer Früchte tragen sollen. Sie haben erste Priorität sogar noch vor der Einräumung von Krediten. Denn Kredite – und hier handelt es sich um teure Devisenkredite – sinnvoll zu nutzen muß auch gelernt werden. Gerade da ist in der Vergangenheit oftmals gesündigt worden.

In einem Land mit zentralistischer Planwirtschaft müssen wir von vornherein davon ausgehen, daß Wirtschaft und Politik nicht zu trennen sind. Dieser Umstand gibt einerseits die Möglichkeit, durch Intensivierung der wirtschaftlichen Zusammenarbeit indirekt auch die Vorgehensweise in der Politik zu beeinflussen. Unter Gorbatschow ist deutlich erkennbar, daß hier gewisse Prioritäten gesetzt werden. Ich habe allerdings auch erfahren müssen, wie bei negativen Vorzeichen in kritischen politischen Situationen auch die bis dahin guten wirtschaftlichen Kontakte in Mitleidenschaft gezogen werden können.

Ein krasses Beispiel ergab sich 1983, als die Bundesrepublik die Nachrüstungsbeschlüsse der NATO diskutierte und es darum ging, US-Pershing-Raketen auf deutschem Boden aufzustellen. Der damalige sowjetische Botschafter Semjonow nutzte jede Gelegenheit aus, mich in zwar konzilianter Form, aber dennoch nicht minder deutlich aufzufordern, in Bonn zu intervenieren, damit der vorgesehene Beschluß unterbleibe. Er wies darauf hin, daß ich mir ja nun schon lange viel Mühe gegeben hätte, die gegenseitigen Kontakte mit dem Ziel größerer Wirtschaftsabkommen zu verbessern, was ja auch durchaus gelungen sei. Jetzt aber müsse er mir klarmachen, daß es solche Erfolge nicht mehr geben werde, wenn es nicht gelänge, die Bundesregierung von ihrem Vorhaben abzubringen. Ich habe an anderer Stelle geschildert, welchen dramatischen Akzent er – zweifellos auf entsprechenden Auftrag hin – unserer Unterhaltung am Vorabend der Bundestagsdebatte gab.

Wenn eine solche Verhaltensweise im Einzelfall auch hin und wieder zu unangenehmen Situationen und zu Belastungen sonst nüchterner und sachlicher Beziehungen führte, so muß ich doch sagen, daß in den zwanzig Jahren meiner Verhandlungsführung die Beziehungen nicht ein einziges Mal abgebrochen wurden. Eine Funkstille oder gar Sprachlosigkeit hat es für mich nie gegeben. Wir haben in gegenseitigem persönlichem Kontakt immer wieder Möglichkeiten gefunden, wenn auch manchmal unter wenig angenehmen Voraussetzungen, unsere Gespräche fortzuführen.

Im Frühjahr 1986 trat Julij Kwizinskij dann seine Mission in Bonn an. Wir mußten eine Zeitlang auf ihn warten, da er als Verhandlungsführer der Sowjets bei den Abrüstungsgesprächen über die Mittelstreckenraketen in Genf zurückgehalten war. Hatte sein Vorgänger Semjonow in Genf über die Reduzierung der strategischen Systeme, bekannt als SALT I, verhandelt, so ging es jetzt unter Gorbatschow darum, nach Jahren der Enttäuschung über das Ausbleiben konkreter Ergebnisse einen Durchbruch in der zweiten großen Waffenkategorie zu erzielen.

Kwizinskijs amerikanischer Gegenspieler war Paul Nitze. Beide wurden berühmt durch ihren so oft zitierten Waldspaziergang, auf dem sie angeblich den Durchbruch zu einer Regelung schafften. Das Ereignis machte Furore in der ganzen westlichen Welt. In New York und in London wurde ein Theaterstück mit dem lapidaren Titel »Walk in the Woods« zu einem Riesenerfolg.

Auffällig an Julij Kwizinskij sind seine geradezu verblüffenden deutschen Sprachkenntnisse, die er als junger Dolmetscher in Ost-Berlin vervollkommnet hatte. Mit ihm führte ich stundenlange Gespräche, die alle sehr ergiebig waren. Nicht ein einziges Mal habe ich ihm einen grammatikalischen Fehler nachweisen können.

Als er dann im Mai 1986 endlich in Bonn ankam, umflort von der Aureole des Waldspaziergängers, war gerade die Katastrophe in Tschernobyl passiert. Gorbatschow hatte zwar schon ein Jahr zuvor das Ruder in Moskau ergriffen, aber immer noch – trotz neuen Denkens – verhielt sich die UdSSR bei solchen negativen Ereignissen wie früher: Wir erfuhren nichts, jedenfalls nichts Konkretes, nur Vertuschungen und Verniedlichungen. Nicht der Verursacher, sondern eher andere, darunter auch die Bundesrepublik, waren die Zielscheibe von Beschuldigungen.

Unversehens war ich in eine komplizierte Situation geraten. Als Vorsitzender der deutsch-sowjetischen gemischten Kommission für Finanzfragen bereitete ich mich gerade auf die mit den Sowjets vereinbarte

Jahressitzung in Kiew vor. Ausgerechnet Kiew, knapp hundert Kilometer von Tschernobyl entfernt! Über die Stadt war, das wußte man auch bei uns, eine verheerende Welle radioaktiven Niederschlags aus dem explodierten Reaktor hinweggegangen. Während nach wie vor keinerlei Klarstellung durch die Sowjets erfolgte, fragten Teilnehmer unserer deutschen Delegation, manchmal auch deren Ehefrauen, besorgt bei uns an, ob ich unter den obwaltenden Umständen etwa in das verseuchte Gebiet fahren wolle. Durch den Vertreter meiner Bank ließ ich in Moskau meinen Partnern mitteilen, man möge mir eine Unbedenklichkeitserklärung der Internationalen Atomenergie-Behörde in Wien besorgen. Anderenfalls könne ich die Verantwortung für die bundesdeutsche Delegation an einem Tagungsort Kiew nicht übernehmen.

In Moskau wollte man alle diese Bedenken nicht gelten lassen. Schließlich, so sagte man, hätte ich selbst den Tagungsort Kiew ausgesucht. Meinen früheren Einladungen, etwa nach München und Stuttgart, sei man im Vertrauen auf die von mir getroffenen Vorsichtsmaßnahmen ebenfalls gefolgt, obwohl die Anwesenheit von sowjetfeindlichen Exilanten und Agitatoren in diesen beiden Städten eine Gefahr für sie bedeutet hätte. Die Instanzen der ukrainischen Hauptstadt hätten alle Vorbereitungen für einen reibungs- und gefahrlosen Ablauf getroffen. Der Vorsitzende der Region Kiew habe schon eine Dampferfahrt auf dem Dnjepr für die deutsche Delegation vorgesehen.

Zum selben Zeitpunkt erreichten uns immer neue Schreckensmeldungen aus Kiew über die noch zunehmende Verseuchung. Wegen der vorherrschenden

Windrichtung unmittelbar nach der Katastrophe waren, wie erinnerlich, zuerst die skandinavischen Länder, später Bayern betroffen, bevor das Gebiet um Kiew vom direkten Fallout überzogen wurde. Auf meine Nachfragen bei der Botschaft der Bundesrepublik in Moskau und beim Auswärtigen Amt in Bonn erhielt ich zur Antwort, daß von Reisen nach Kiew abzuraten sei.

Inzwischen war der Ton meiner Unterhaltung mit Moskau immer gereizter und ungehaltener geworden. Mein Einwand, ich hätte meinen Vorschlag zur Wahl Kiews als Versammlungsort schließlich ein Jahr vorher gemacht, als man von dem Unglück nichts ahnen konnte, verfing natürlich nicht. Dabei wäre ich selbst so gern nach Kiew gefahren. Den wahren Grund dafür konnte ich freilich niemandem erzählen: Als Soldat hatte ich die Hauptstadt der Ukraine nur schemenhaft von weitem erblickt, als die deutschen Panzertruppen im Spätsommer 1941 nach Überschreiten des Dnjepr im Süden der Stadt, weit östlich ausholend, hinter dem Rücken der Armee Budjonnyj den Kessel von Kiew schlossen. Damals hatte Kiew noch keine goldenen Kuppeln. Was wir sahen, waren eher unscheinbare graue Zwiebeltürme.

Meine Hoffnung auf eine vernünftige Verständigung mit meinen sowjetischen Partnern, die ich nun schon seit mehr als zehn Jahren kannte, hatte ich schließlich aufgegeben. Überreiztes Prestigedenken hatte der Sachlichkeit den Garaus gemacht. Aber da erfuhr ich vom Dienstantritt des neuen sowjetischen Botschafters Kwizinskij in Bonn. Ich bot mich an, ihn aufzusuchen. Aber er erwiderte, er komme zu seinem Antrittsbesuch selbstverständlich zu mir.

Bei einem langen, durch ausführliche Gespräche angereicherten Mittagessen lernte ich einen sehr gebildeten und gewandten Diplomaten kennen. Als ich das Gespräch auf den kontroversen Punkt unserer geplanten Reise nach Kiew brachte, verhehlte ich Kwizinskij nicht, daß ein Insistieren Moskaus auf Termin und Ort ein offenkundiger Fehlgang werde, da der größte Teil meiner Delegation aus Gründen der Sicherheit die Reise nach Kiew zu diesem Zeitpunkt ablehne. Das könne nicht ohne negative Auswirkungen auf die bisher gute Zusammenarbeit bleiben. Ich schlug vor, die Beruhigung der Situation abzuwarten und unsere Reise an einem ferner gelegenen Ort im Herbst, und dann ohne Publizität, stattfinden zu lassen. Wenn wir uns einigen könnten, würde es jetzt keine offiziell anzukündigende Absage geben, und niemand verlöre das Gesicht. Jeder deutsche Teilnehmer würde persönlich mündlich und nicht schriftlich unterrichtet.

Herr Kwizinskij reagierte außerordentlich verständig. Er deutete an, daß er sich in den nächsten Tagen ohnehin zu einer von Gorbatschow einberufenen Konferenz nach Moskau begeben werde. Es handele sich erstmalig um ein Treffen aller sowjetischen Botschafter aus der westlichen Welt, um sich über Tschernobyl und die Folgen unterrichten zu lassen; dabei könne er dann auch diesen Fall regeln. So geschah es. In der Tat wurde das Verhandlungsklima danach spürbar besser, und auch die Vorwürfe an die Adresse der Bundesrepublik wurden eingestellt.

In gegenseitigem Einvernehmen verschoben wir die Sitzung der gemischten Kommission für Finanzfragen auf einen späteren Zeitpunkt; als Tagungsort einigten wir uns auf Baku in Aserbeidschan. Auch mit dieser Stadt verbanden sich für mich Erinnerungen aus dem unseligen Krieg. Baku war kurz vor Beginn des Rußlandfeldzuges, im Juni 1941, zu einem Zauberwort der NS-Propaganda avanciert, mit dem man uns in unseren Bereitstellungsräumen am Bug die plötzliche Anhäufung deutscher Truppen an der deutsch-sowjetischen Demarkationslinie zu erklären versuchte: Die Wehrmacht solle, so die abenteuerliche Zielvorstellung, mit Stalins Einverständnis friedlich durch Südrußland marschieren, bis Baku am Kaspischen Meer vorrücken und die sowjetischen Ölfelder dort zusammen mit der Roten Armee vor einem möglichen englischen Zugriff bewahren. Jahrzehnte später würde ich nun Baku endlich, und in der Tat auf friedlichem Wege, erreichen können.

Es war nur dem diplomatischen Vorgehen des sowjetischen Botschafters in Bonn zu verdanken, daß im Frühjahr 1986 eine politisch und psychologisch festgefahrene Situation zu einer Lösung gebracht werden konnte. Und das war nur ein Vorgeschmack auf sein in der Folgezeit oft unter Beweis gestelltes Verhandlungsgeschick. Bei den immer intensiver werdenden Beziehungen, vor allem in der Wirtschaftskooperation unserer beiden Staaten, war Herr Kwizinskij zuweilen arg gefordert. Ursprünglich war der neue Botschafter nicht unbedingt ein Experte in Sachen Ökonomie. Aber als es dann vor allem um *joint ventures* ging und die damit zusammenhängenden Fragen eine immer größere Rolle spielten, hat er sich schnell in die Einzelproblematik eingearbeitet, und er wurde bald zum unverzichtbaren, kritischen Begleiter bei der Lösung kontroverser Fälle. Kwizinskijs guter, diskreter Kontakt zum Kreml war uns dabei oft eine große Hilfe.

Während ich diese Zeilen zu Papier bringe, wird bekannt, daß der Botschafter zu den Vertrauten Michail Gorbatschows gehört, die bei der Erneuerung des Zentralkomitees der KPdSU in diesem Frühsommer 1989 in das höchste Kontrollorgan der Sowjetunion aufgenommen wurden. Seine Zeit in Bonn wird also wohl kürzer sein als die seiner Vorgänger, was ich im Interesse der gemeinsamen Sache sehr bedauere. Aber man braucht ihn in Moskau gewiß nötiger. Ich zweifle nicht daran, daß Herr Kwizinskij im Hinblick auf seine eigentliche Kompetenz, die Sicherheitspolitik, künftig die sowjetische Außenpolitik maßgebend mitgestalten und -entscheiden wird.

Deren kritische Überprüfung von Stalin bis Breschnew hatte schon gleich nach der Amtsübernahme Gorbatschows begonnen. Eine umfassende Bestandsaufnahme und Analyse sowie Folgerungen für die künftige Selbstdarstellung der Sowjetunion nach außen sind seit 1985 zu einer der zentralen Aufgaben der Reformer geworden.

Ich hatte Gelegenheit, persönliche Eindrücke aus Gesprächen mit kompetenten Partnern zu sammeln. Hierzu zähle ich vor allem die Herren Falin und Sagladin sowie Jakowlew und Daschitschew. Letztere beiden sind Professoren der Geschichte mit dem nötigen Abstand zur Tagespolitik, dazu Kriegsteilnehmer wie ich. Die genannten vier Personen stehen, in unterschiedlichen Funktionen, dem Generalsekretär als Berater zur Verfügung. Das Ergebnis ihrer Analyse, welches ich in Gesprächen von ihnen erfuhr, läßt sich etwa so zusammenfassen:

Mit Beginn der Ära Stalin ging es für eine von Krieg und Revolution stark geschwächte Sowjetunion zunächst darum, dem Westen gegenüber eine deutliche militärische Machtposition aufzubauen. Hierzu wurden alle Ressourcen, vom Menschen bis zu den Rohstoffen, rücksichtslos eingesetzt. Schwer- und Rüstungsindustrie erhielten höchste Priorität. Die Vernachlässigung des Lebensstandards der breiten Massen wurde in Kauf genommen, ebenso die Provokation dem Westen gegenüber, zeitweise sogar bewußt herbeigeführt. Nach dem Zweiten Weltkrieg schlug die alliierte Kriegsallianz, hauptsächlich über die Frage der Behandlung des besiegten Deutschland, bald in Konfrontation um. Der Kalte Krieg mit seiner raschen Eskalation gegenseitiger Bedrohung setzte eine Hochrüstungsspirale nie gekannten Ausmaßes in Gang. NATO und Warschauer Pakt entstanden als Schutz- und Trutzbündnisse. Bei einem meiner Gespräche ließ ich beiläufig fallen, Josef Stalin gebühre eigentlich postum der Verdienstorden der NATO, da es ohne ihn wohl kaum zu diesem Verteidigungsbündnis des Westens gekommen wäre, und es wurde mir nicht widersprochen. Selbst als in den siebziger Jahren mit den Moskauer Verträgen zwischen Bonn und Moskau eine leichte Entspannung einsetzte, gingen die Rüstungsanstrengungen Moskaus bis zur Aufstellung der SS 20 weiter. Hier aber überreizten die Sowjets ihr Spiel. Eine Phase westlicher Indifferenz, begleitet von unaufhörlichen Moskauer Friedensbeteuerungen, ging zu Ende. Die neue und bisher schärfste Bedrohung erheischte eine Antwort. Der Westen fand sie – nicht zuletzt auf Insistieren des deutschen Bundeskanzlers Helmut Schmidt – in den Pershings.

Auch die sowjetische Expansionspolitik jener Jahre wurde im Westen mit Irritation registriert. Bei aller Tradition dieser Politik aus den Jahrhunderten der Zaren – diesmal griff Rußland weit über Kontinentaleuropa hinaus und engagierte sich in Afrika, Zentralamerika und Zentralasien. Afghanistan setzte den Schlußpunkt und rüttelte den Westen endgültig wach.

Inzwischen ist die Sowjetunion hier wie da an die Grenzen ihrer Möglichkeiten gestoßen. Auch wäre es falsch, sie im historischen Vergleich allein der Expansionspolitik zu bezichtigen. Über Jahrhunderte hinweg hatte in Europa militärpolitisches Denken den Vorrang vor der Sorge um das soziale Wohl der Bürger. Der »Kriegsminister« war der erste Mann im Kabinett und setzte Außenpolitik in Taten um. Das oberste Ziel lautete meist: Expansion. Ein Krieg mußte gewonnen werden; und ging er verloren, wurden alle finanziellen Mittel ausgeschöpft, um den nächsten etwas besser vorzubereiten. Ein *circulus vitiosus*, lange Zeit ohne Chance, durchbrochen zu werden. Das soll nun, auch im Denken der sowjetischen Machthaber, anders werden.

Das 20. Jahrhundert hat den Beweis geliefert, daß Kriege im Weltmaßstab nicht mehr geführt werden können. Sie lösen keine Probleme, sondern schaffen neue. Diese Erkenntnis ist teuer genug, mit etwa sechzig Millionen Toten, erkauft worden. Des preußischen Staatsphilosophen Clausewitz Satz vom Krieg als Fortsetzung der Politik mit anderen Mitteln ist obsolet geworden. Der neuen Situation müssen sich alle Europäer in gleicher Weise stellen.

Soweit die Einlassungen meiner sowjetischen Gesprächspartner zur Aufarbeitung der bisherigen Außenpolitik ihres Landes. Ihre kritische Rückschau in die Vergangenheit wird indes nicht einhellig begrüßt. Nicht nur bei Funktionären, auch bei der Bevölkerung – hier vor allem bei der älteren Generation – melden sich Gegenstimmen. Eine durch die Jahrhunderte gefestigte Meinung von Nation und Vaterland, für die weite Teile der Bevölkerung noch im Großen Vaterländischen Krieg gelitten haben, soll plötzlich nicht mehr gelten? Das verletzt bei vielen patriotische Gefühle. Und diese werden in der Presse im Zeichen von Glasnost stark strapaziert. Mir wurde berichtet, daß bei Gerichten Klagen gegen Journalisten eingereicht wurden, in denen von »Nestbeschmutzung« die Rede war.

Breites Einverständnis hat Gorbatschow dagegen für die Beendigung des Krieges in Afghanistan erzielt. Mit diesem »Vietnam« der Sowjets hatte er direkt nichts zu tun. Persönlich unbelastet, konnte er die Soldaten ohne Gesichtsverlust in die Heimat zurückführen, wobei sich seine außerordentliche Willensstärke zeigte. Er beendete diesen Alptraum ständig steigender Verluste in einem Krieg, der kein vaterländischer war. Seinen Generalen ersparte er einen schimpflichen Rückzug, seiner Wirtschaft eine sinnlose Belastung.

Um Entlastung der Wirtschaft ging es auch bei der Begradigung des Verhältnisses zur anderen marxistischen Supermacht: China. Entlang der 3000 Kilometer langen Grenze zwischen beiden Staaten gibt es heute keine militärischen Spannungen mehr, wenngleich die tiefsitzende Furcht der Russen, ein übervölkertes China könne eines Tages gewaltsam in das menschenleere Vakuum Sibiriens drängen, nicht ausgeräumt ist. Militärisch präsent wird die Sowjetunion an der chinesischen Grenze immer bleiben. Gorbatschows Besuch in der Volksrepublik China im Mai 1989 beseitigte aber wenigstens die Reste eines übersteigerten Mißtrauens.

Die Sowjetunion stellt sich also heute die Frage, ob eine Politik des Verhandelns und der Zusammenarbeit, nach jahrzehntelanger Drohung, nicht die besseren Ergebnisse bringt. Erste Elemente einer Antwort sind beim Besuch Gorbatschows in der Bundesrepublik im Juni 1989 geliefert worden.

Viel Mißtrauen gegenüber der Moskauer »Offensive des Charmes« wird noch abzubauen sein. Auf jeden Fall scheint es mir ratsam, die beiden Paktsysteme NATO und Warschauer Pakt als Ordnungsgerüst in Europa einstweilen bestehen zu lassen, um die risikoreiche Übergangszeit einer stufenweisen Verringerung der Rüstungspotentiale militärisch und politisch abzusichern. Selbst wenn am Ende solcher Abrüstungsschritte ein Niveau gleicher Sicherheit oder gar einer beidseitigen »strukturellen Nichtangriffsfähigkeit« erreicht sein sollte (ich bezweifle, ob solches in der militärischen Praxis zu bewerkstelligen ist), so ginge in meinen Augen die Legitimation der NATO nicht zu Ende. Wer dies erwartet oder fordert, übersieht, daß das westliche Verteidigungsbündnis zuvorderst auf einem gemeinsamen Wertekatalog gründet. Die NATO ist also ein natürlicher Zusammenschluß von Staaten gleicher Überzeugungen und erst dann ein Bündnis im klassischen Sinne zur Abwehr einer akuten Bedrohung – wobei der Wunsch, daß die Paktsysteme eines Tages überflüssig werden mögen, an der Wiege des Bündnisses stand.

Ich bin mit meinen sowjetischen Gesprächspartnern der Meinung: Die Außenpolitik der Zukunft wird sein, *mit Fortschritten in der Entspannung andere Prioritäten zu setzen*. Dazu gehören die Pflege mitmenschlicher Beziehungen und als Betätigungsfeld Ökonomie und Ökologie in ihrer wechselseitigen Beziehung, Wissenschaft und Technologie, Kultur, Besucheraustausch und Sport. Diese Begriffe sind bereits in den Rahmenabkommen zur »Bonner Deklaration« aufgeführt. Sie müssen jetzt mit Leben erfüllt werden.

Im Blick auf dieses Ziel kann auch die bisherige Priorität der Schwerindustrie endgültig zurückgenommen werden. Einen deutlichen Hinweis hierauf erhielt ich bereits im Frühjahr 1988, als ich mit Ministerpräsident Nikolaj Ryschkow über einen Drei-Milliarden-DM-Kredit verhandelte.

Erstmals sollte der Devisenkredit der Konsumgüterversorgung und damit direkt der Verbesserung des Lebensstandards zukommen. Aber es war nicht nur die generelle Neuorientierung in der volkswirtschaftlichen Prioritätenliste der Sowjetunion, die diesen Kreditwunsch auslöste; der von Gorbatschow in Angriff genommene Umbau der sowjetischen Gesellschaft und Wirtschaft währte nun schon drei Jahre, ohne daß für den normalen Sowjetbürger die Früchte der Perestroika greifbar wurden. Im Gegenteil: Selbst einem ausländischen Besucher fiel auf, daß in Moskau – und dabei ist die Versorgung hier generell noch wesentlich besser als auf dem Lande – das Warenangebot in den Geschäften dürftiger wurde, ja einige gehobenere Produkte überhaupt nicht mehr vorhanden waren.

Diese von mir selbst beobachtete Mangelsituation griff ich auf und sagte Ryschkow, daß ein Absinken des Lebensstandards für mich völlig selbstverständlich sei: Das alte, marode Wirtschaftssystem sei verworfen, ohne daß das neue schon spürbar greifen könne. Ryschkow erklärte mir, daß man mit dem D-Mark-Kredit Investitionsgüter für die Leicht-, also die Konsumgüter- und Nahrungsmittelindustrie kaufen wolle. Die kritische Versorgungslage solle aus eigener Anstrengung verbessert werden; er rechne damit, daß schon in relativ kurzer Zeit – er sprach von Ende 1989 – die Investitionen greifen würden und die Konsumgüterproduktion zu einer spürbaren Verbesserung der Versorgungslage führen könne.

Mir schien der Ziel- und Zeitrahmen viel zu ehrgeizig und kurzfristig gesteckt. Ich wandte daher ein, daß der Umbau und die Modernisierung der sowjetischen Wirtschaft längere Zeit in Anspruch nehmen werden. Und so komme es darauf an, den Lebensstandard der Sowjetbürger als Überbrückungsmaßnahme und zur Vermeidung einer Versorgungskrise durch vorübergehende Konsumgüterimporte auf einem befriedigenderen Niveau zu halten, bevor die Nachfrage von der modernisierten sowjetischen Konsum- und Nahrungsmittelindustrie selbst gedeckt werden könne.

Trotz der Deutlichkeit und Dringlichkeit meines Statements verfing meine Argumentation nicht. Ryschkow war der Meinung, daß wertvolle Devisenkredite nicht für Konsumgüter in Anspruch genommen werden dürften, die keinen späteren Output brächten und somit endgültig verbraucht seien. Zum anderen glaubte ich aus seiner an sich verständlichen Haltung zu erkennen, daß die sowjetische Führung Konsumimporte als allzu deutliches Zeichen der Schwäche der sowjetischen Wirtschaft sähe, was mit ihrem Prestigedenken nicht zu vereinbaren wäre. Offenbar befürchtete man in der UdSSR, zu sehr in die Rolle eines Entwicklungslandes gedrängt zu werden. Hierzu könnte auch ein Beispiel aus der Endphase der Chruschtschow-Ära beigetragen haben.

Ich unterbreitete Ryschkow daraufhin einen Vermittlungsvorschlag, den ich als Gesamtkonzept erläuterte. Der Devisenkredit solle zu einem Teil in Anspruch genommen werden, um die sowjetische Konsum- und Leichtindustrie zu modernisieren. Die zuständigen sowjetischen Instanzen sollten möglichst schnell die Branchen und die Unternehmen im Lande ermitteln, die für eine Beratung und Modernisierung in Frage kämen, um Kontakte mit den entsprechenden deutschen Ausrüstungsunternehmen herzustellen. Zum anderen könnte aber ein Teil des Kredits zu unmittelbaren Konsumimporten eingesetzt werden. Sobald die modernisierten sowjetischen Unternehmen mit einer quantitativ wie qualitativ verbesserten Produktion begännen, würde dann der Konsumimport schrittweise bis zum völligen Auslaufen zurückgenommen werden. Aber auch mit diesem Vermittlungsvorschlag konnte sich Ryschkow nicht anfreunden. Er blieb bei seinem Standpunkt, daß Devisenkredite nicht für Konsumgüter »verschleudert« werden dürften.

Wir waren zwar die ersten, die Kredite für eine bessere Versorgung der Bevölkerung anboten. Aber kurz darauf offerierten auch unsere westlichen Nachbarn – Frankreich, England, Italien – für ähnliche Zwecke Kredite. Und die Sowjets haben immer noch Schwierigkeiten bei einer sinnvollen Inanspruchnahme. Schon bei früheren – und bedeutend kleineren –

Krediten, mußten sie einräumen, seien hiermit angeschaffte Maschinen in irgendwelchen Vorstadtlagern verrostet. Bei der Fülle der im Frühsommer 1988 angekündigten Devisenkredite bekam ich starke Bedenken, ob dies mit der gegenwärtigen politischen und wirtschaftlichen Administration überhaupt zu bewältigen sei. Meine Zweifel, ob die Modernisierungs- und Verbesserungskampagne tatsächlich in der Lage sein wird, die Konsumbedürfnisse der Bürger halbwegs zu befriedigen, sind bis heute geblieben. Es sieht vielmehr danach aus, daß die nun schon einige Zeit zu beobachtende Versorgungskrise – die leicht in eine soziale oder gar politische Krise umschlagen kann – nur zu beseitigen ist, wenn sich die Führung als Quasi-Notmaßnahme zu Konsumimporten aus COMECON-Staaten wie aus dem Westen durchringt.

Weitere Devisenkredite würden freilich die Auslandsverschuldung der Sowjetunion weiter anschwellen lassen. Ich habe bereits die im Vergleich zu den übrigen COMECON-Staaten relativ befriedigende Verschuldungssituation der Sowjetunion erwähnt. Hier wäre durchaus noch ein Spielraum zur weiteren Kreditaufnahme gegeben, wenngleich die stagnierenden Devisenerlöse aus sowjetischen Rohstoffexporten eine gewisse Obergrenze erkennen lassen. Man darf nicht vergessen, daß die Sowjetunion schon heute allein für den Import von Getreide und Lebensmitteln etwa vier bis fünf Milliarden Rubel aufzubringen hat. Das gravierendere Problem ist freilich nicht die Bonitätsverschlechterung, sondern die Unfähigkeit im Lande selbst, importierte Konsumware schnell und effizient auf die Märkte, das heißt zum Verbraucher, zu bringen.

Die Distributionskapazitäten sind völlig unterentwickelt, eine wirksame »Logistik« fehlt, und schließlich gibt es an allen Wegen des Verteilungsnetzes geschickte Hände, die schon weit vor dem Endverbraucher ein Stück vom Kuchen abschneiden. Geradezu erschütternd ist dies nach dem Erdbeben in Armenien deutlich geworden, als die westlichen Staaten in einer Woge der Hilfsbereitschaft in einem beachtlich hohen Umfang Hilfsgüter für die vom Erdbeben Betroffenen zur Verfügung stellten und diese sogar bis ins Krisengebiet transportierten. Erstmals hatte »Glasnost« die Not der Bevölkerung weltweit sichtbar gemacht und die Sowjetunion westliche Hilfe uneingeschränkt akzeptiert. Gleichwohl kam nur ein geringer Teil der Lebensmittel, Medikamente, Decken und Kleidung bei den Betroffenen an. Ein großer Teil ging durch Schlamperei verloren oder wurde am völlig falschen Platz gehortet; insbesondere höherwertige Produkte versickerten in Kanälen, die nicht selten bei Funktionären in der sowjetischen Hauptstadt endeten.

Diese bittere Erfahrung läßt deutliche Zweifel als berechtigt erscheinen, ob tatsächlich ein größeres Importvolumen von Konsumgütern zur Verbesserung der Versorgungslage des kleinen Mannes auf der Straße beitragen kann. Wenn schon in einem vergleichsweise kleinen Gebiet mit zahlenmäßig überschaubarer Bevölkerung selbst in der ärgsten Notlage eine schnelle und effiziente Verteilung und Versorgung nicht gelingt, wie soll dies bei der unermeßlichen Weite des Landes und einer ohnehin an elementarsten Grundbedürfnissen leidenden, riesigen Bevölkerung bewerkstelligt werden? Solange sich menschliches und technisches Unvermögen allzu leicht mit Korruption paaren, scheint selbst beim besten Willen eine schnelle Beendigung der Versorgungskrise nicht möglich. Bei aller Bereitschaft zur Unterstützung der Reformen seitens des Westens: Die notwendigen Entscheidungen und die Durchführung der Maßnahmen müssen nun einmal in der Sowjetunion getroffen werden. Diese Hausarbeiten sind von den Sowjets selbst zu erbringen.

Niemand ist sich dieser Tatsache deutlicher bewußt als Gorbatschow. Im Zeichen der außenpolitischen Entspannung löst das »neue Denken« nie gekannte innenpolitische Probleme aus: vor allem nationale und soziale Fragen. Gesellschaftliche Veränderungen aber können eine Eigendynamik entwickeln, die sich in den Auswirkungen schwer abschätzen läßt. Durch brutale Machtausübung nach innen, die über Jahrzehnte einen quietistischen Immobilismus erzeugte, auch begünstigt durch die Mentalität der Duldsamkeit und der Lethargie, war die sowjetische Innenpolitik von einer für die Machthaber beruhigenden Statik und Berechenbarkeit. Heute jedoch verlangt die Perestroika, der Ruf nach Neuordnung, ein liberales Gesellschaftsbild – und fördert damit zwangsläufig neben der gewollten schöpferischen Unruhe auch jene gesellschaftlichen Exzesse, die auch dem Westen nicht unbekannt sind.

Begegnungen mit der verfemten Kunst

Daß die riesige Sowjetunion nicht nur ungeheure materielle, sondern auch immaterielle Schätze birgt, die ebenso urgewaltig zur Oberfläche drängen, ist mir bei meinen Reisen mehr und mehr bewußt geworden. Über die vielfältigen kommerziellen Gespräche und Verhandlungen hinaus kamen in den siebziger Jahren Erlebnisse auf mich zu, mit denen ich zunächst nicht rechnen konnte: vor allem die aufregende Begegnung mit der Kunst des Landes, genauer gesagt, mit der russischen Avantgarde, jener Malerei, die etwa um 1910 begann und Namen wie Chagall und Kandinsky, aber eben auch El Lissitzky oder Malewitsch umfaßte. Von letzterem als Begründer des sogenannten Suprematismus hatte ich einen höchst schemenhaften Eindruck – wie übrigens die Sowjets selbst. Als Stalin nach Lenins Tod die Macht an sich riß, wurde die Avantgarde jäh verboten und für zwei Generationen aus dem Bewußtsein der Menschen verbannt – jedenfalls im Ursprungsland Rußland. Nun plötzlich sollte ich sehr konkrete Beweise jener Schaffensperiode zu Gesicht bekommen.

Ein glücklicher Zufall bescherte mir die Bekanntschaft von Georgi Costakis, einem in Rußland geborenen und dort lebenden Griechen. Costakis gehörte zum Personal der kanadischen Botschaft in Moskau. Nach dem letzten Krieg hatte er sich mit ungeheurer Energie und großem Finderglück auf die Suche nach Gemälden, Objekten, Collagen, Gouachen, Aquarellen und Zeichnungen aus jener Epoche gemacht. So hatte er die kompetenteste Sammlung in Privathand zustande gebracht, welche die Sowjetunion damals – inoffiziell – beherbergt haben mag. Sie enthielt vor allem die großen und bekannten Namen der für Rußland typischen und originellen Kunstrichtungen des Konstruktivismus und Suprematismus. Die Wohnung von Costakis, gleichzeitig sein privates Museum, befand sich in einem Hochhaus am Stadtrand Moskaus. Nur wenigen Eingeweihten war die Adresse bekannt. Lange Zeit wurde sie unter Kunstkennern und Museumsdirektoren als Geheimtip gehandelt.

Costakis war nach einer Reihe von Bedrohungen und Diebstählen mißtrauisch geworden. Es war nicht leicht, in seine enge, für Moskauer Verhältnisse aber geradezu fürstlich großräumige Wohnung eingelassen zu werden. Für mich waren die Besuche bei Costakis eine wohltuende Abwechslung nach oft anstrengenden Verhandlungen. Wenn man an den langweiligen Moskauer Abenden schon das unvermeidliche Bolschoi und den Zirkus hinter sich hatte, waren weitere Möglichkeiten, sich zu zerstreuen, eher bescheiden. Den Aufenthalt in den Devisenbars der großen Hotels, aus denen die Moskauer mangels Valuten ausgeschlossen waren, nicht ohne sich an deren Scheiben vor Neugierde die Nasen platt zu drücken, wurde man sehr schnell leid. So waren die Stunden bei Costakis hoch willkommen.

Es ging gemütlich und fast familiär zu. Zur Unterbrechung der langen Kunstbetrachtungen, die wegen der Hunderte von Gegenständen nie ein Ende nahmen, tischte Mamutschka Costakis Tee und einen wunderbaren Apfelkuchen auf. Die Wohnung war geradezu randvoll mit Bildern und Objekten angefüllt und derart davon verstellt, daß uns unsere Umgänge bei der Begutachtung äußerste Vorsicht abverlangten, um nicht etwa mit dem Absatz plötzlich in einem am Boden stehenden Bild – vielleicht von Alexander Rodtschenko oder Olga Rosanowa – zu landen. Costakis kannte das Lebensschicksal jedes Künstlers und die Geschichte jedes Bildes im Detail.

Costakis' Schilderungen ließen in ihrer Lebhaftigkeit und Detailkenntnis eine Epoche der russischen Malerei vor unseren Augen erstehen, die in ihrer Kreativität und Dynamik an Bedeutung und Aussagekraft ganz gewiß ihresgleichen sucht. Anstoß zu dieser Epoche gab zweifellos auch hier die Erschütterung der Revolution von 1905, die zwar ihr Ziel verfehlte, aber weiter schwelte und im Keim die Ereignisse von 1917 in sich trug. Mich faszinierte der Idealismus der jungen Künstler der Avantgarde, die die morbide, vom »fin d'époque« gezeichnete Gesellschaft zu Beginn des neuen Jahrhunderts radikal verändern wollten. So gehen Avantgarde und Revolution eine Zeitlang Hand in Hand.

Was mir auffiel, war die überraschend große Zahl von Künstlerinnen: Alexandra Exter, Natalja Gontscharowa, Nina Kogan, Ljubow Popowa, Nadeshda Udolzowa sind nur einige von ihnen. Trotz der sie einengenden Zielsetzung, die Welt mit ihrer Kunst in fast explosiver Vielfalt neu zu gestalten, sind sie alle eigenständig und selbstbewußt ohne jede emanzipatorische Attitüde geblieben. Mit ihren Freunden strahlten sie auf spätere Entwicklungen im Bauhaus, auf »De Stijl« und »Dada«, ja darüber hinaus auf das beherrschende Kunstzentrum Paris und – nach dem Zweiten Weltkrieg – auf New York aus.

Eines Tages vertraute Costakis mir an, daß er Moskau verlassen und in die Heimat seiner Väter, Griechenland, zurückkehren wolle. Für ihn sei aber selbstverständlich, daß gut drei Viertel der von ihm gesammelten Werke im Heimatland ihrer Schöpfer, Rußland, bleiben würden. Nur einen kleinen Teil wolle er mitnehmen. Dazu aber brauche er die Hilfe des Westens. Bis dahin hatte er auf Edward Kennedy vertraut, von dem er, für jedermann sichtbar, ein großes Photo mit Widmung in seiner Wohnung aufgestellt hatte.

Seit er mir von seinen Plänen erzählt hatte, bemerkte ich eine deutliche Unruhe und Nervosität bei ihm. Er sagte mir, seitdem er um den Wert seiner Sammlung wisse, sei er weniger glücklich mit seinen Bildern und fürchte ständig, bestohlen zu werden. Auch wünschten seine Kinder Geld zu sehen. Mit der sowjetischen Regierung sei er einig geworden, daß seine Sammlung in einem eigenen Flügel der großen Tretjakow-Galerie untergebracht werden sollte.*

Da die Zeit offensichtlich drängte, bat er mich, in Düsseldorf oder Köln vorstellig zu werden, damit der von ihm mitzunehmende Rest – immerhin mehr als zweihundert Exponate – der westlichen Welt als Pre-

* Dies hat lange auf sich warten lassen. Nach Erweiterung der Tretjakow-Galerie sollen die dafür vorgesehenen Räume demnächst geöffnet werden.

miere dargeboten werden könnte. Für dieses Bemühen konnte er mir nur drei Tage Zeit geben. Längst stand in mir fest, daß sich der Einmaligkeit des Angebots wegen hier jede Mühe und jeder Aufwand mehr als lohnen würden. Aber ich hatte nicht mit der Schwerfälligkeit unserer bundesdeutschen öffentlichen Kulturträger gerechnet, und nur nach großen Anstrengungen und herben Enttäuschungen konnte ich meine Zusage an Costakis fristgerecht einhalten.

Als die Sammlung im September 1977 schließlich gesäubert, gerahmt, aufgehängt und vor der Eröffnung der Ausstellung für das Fernsehen freigegeben war, zeigte sich mein Freund überwältigt. Er hatte die Stücke jahrelang nur aneinander- und aufeinandergestellt gesehen, teilweise ungesäubert, alle ohne Rahmen in seiner engen Behausung in Moskau, und nun erlebte er sie in ihrem ganzen Glanz, frei von jedem verschwörerischen Beigeschmack einem weltoffen kritischen Publikum preisgegeben. Ganz Südländer, mächtig und gewichtig von Wuchs, umarmte und küßte er mich immer wieder vor Freude und Dankbarkeit.

Die Premiere im Kunstmuseum Düsseldorf wurde für Costakis zum unverhofften Erfolg. Ein internationales Publikum, Galeristen und Museumsleiter aus London, New York und Tokio feierten ihn stürmisch. Trunken von so viel ungewohnten Eindrücken, stand er da inmitten seiner Bilder und der vielen Menschen aus aller Welt; und wie ich ihn so von fern ansah, wirkte er auf mich wie ein Sioux-Indianerhäuptling, dem man eine Flasche Whisky in die Hand gedrückt und die er in einem Zug geleert hatte. Der Kater konnte nicht ausbleiben.

Die Ausstellung ist seither in allen großen Kunstzentren gezeigt worden. Was Georgi Costakis betrifft, so hat er den Fortgang aus Moskau offensichtlich seelisch schlecht verkraftet. Daß er seinen inneren Frieden inzwischen gefunden hat, wage ich zu bezweifeln.

Inzwischen hatte sich in Moskauer einschlägigen Zirkeln herumgesprochen, daß ich an russischer und sowjetrussischer Kunst interessiert sei. So erhielt ich in zunehmendem Maße Einladungen von offiziell nicht zugelassenen Künstlern. Ich habe sie wahrgenommen. Auch auf andere Weise kamen Kontakte mit solchen Künstlern zustande. Während meine offiziellen Gesprächspartner es unterließen – wohl auch wegen der bescheidenen Wohnverhältnisse –, mich privat einzuladen, zögerten Künstler nicht, dies zu tun. Es waren wohl die persönlichsten und fruchtbarsten Begegnungen, die da in der Wohnung oder im Atelier eines Malers oder Bildhauers stattfanden. Dabei habe ich sehr bescheidene, aber außerordentlich sympathische Milieus kennengelernt, in denen ich mich auf Anhieb wohl fühlte, doch auch sehr ansehnliche Appartements oder Ateliers, die westlichen Maßstäben durchaus entsprachen.

Zu den Künstlern, die sich ihres Umfelds nicht zu schämen brauchten, würde ich Ilja Glasunow zählen. Er ist inzwischen auch bei uns bekannt geworden. Man kann ihn als ein wahres Schoßkind der Moskauer Künstlergilde bezeichnen, obwohl er nicht unumstritten ist. Glasunow hat fast alle großen Potentaten porträtiert, bringt mit Vorliebe historische Gestalten und Stätten von nationaler russischer Bedeutung auf die Leinwand und erhält weithin Beifall. Seine Ausstellungen finden meist an exponierten Orten statt und weisen höchste Besucherzahlen auf. Die abstrakte und konstruktivistische Darstellung lehnt er ab, und damit auch die inzwischen als klassisch anerkannte Malerei der Avantgarde, von der hier die Rede ist.

In Vadim Sidur, einem Bildhauer, der auch malt, lernte ich eine Künstlerpersönlichkeit ganz besonderer Prägung kennen. Kurz vor Kriegsende hatte ihm eine deutsche Gewehrkugel den halben Unterkiefer zerschmettert. Als ich mit ihm, dem ehemaligen Rotarmisten, in seinem Keller-Atelier zusammentraf, brach der ganze Widersinn unserer Jugenderlebnisse einmal mehr hervor.

Man nennt Sidur den russischen Moore. Seine Plastiken haben längst Weltruf erlangt, wenngleich er in seinem Heimatland lange geächtet war. Er hatte 1968 den neuen Aufbruch in Prag begrüßt als ein »Weg von der menschenverachtenden Ideologie«. Post mortem ist er schließlich 1987, offenbar auf Betreiben von Boris Jelzin, dem damaligen Bürgermeister von Moskau, rehabilitiert worden, und es gab eine große Ausstellung seiner Werke in Moskau. Nach Jelzins Absetzung wurde auch die Ausstellung wieder zugesperrt. Als ich sie im Frühjahr 1988 besuchen wollte, erfuhr ich von Sidurs Witwe, die als ungeheuer starke Persönlichkeit ihren sensiblen Mann mit ihrer ganzen Kraft gestützt hatte, die näheren Umstände der Schließung. Meinem Verhandlungspartner, Kultusminister Sacharow, habe ich daraufhin schriftlich mitgeteilt, wie enttäuscht ich sei, daß man diese Ausstellung nicht mehr besichtigen könne; ich hoffte doch, sie bei meinem nächsten Besuch in Moskau wieder geöffnet zu finden. Das hatte Erfolg.

Schon lange war es mein Wunsch gewesen, als Ergänzung zu unseren gemeinsam erzielten großen Geschäftsabschlüssen mit den Sowjets Veranstaltungen kultureller Art zu organisieren, von denen ich mir günstige Auswirkungen auf ein besseres gegenseitiges Verständnis versprach. Der Austausch von Malerei erschien mir als eines der geeignetsten Mittel hierzu.

1981 fand im Moskauer Puschkin-Museum eine großartig beschickte Ausstellung »Moskau–Paris« statt. Sie war die Antwort auf eine Jahre zuvor im Pariser Centre Pompidou veranstaltete Parallele »Paris–Moskau« und wurde auch medienwirksam von der Parteiprominenz besucht. In der Presse erschien eine Aufnahme von Leonid Breschnew, die ihn vor einem bekannten großen Gemälde von Matisse stehend zeigte. »Kunst ist ein hervorragendes Mittel, die gegenseitige Verständigung zu fördern«, sei der allerhöchste Kommentar gewesen.

Ich griff mir das Blatt und ging damit zum Kultusministerium, wo ich, unter Hinweis auf den Breschnew-Ausspruch, anregte, einen Kunstaustausch zwischen unseren beiden Ländern zu organisieren. Kultusminister war damals das Politbüro-Mitglied Dementzew, seine beiden Stellvertreter waren die Herren Sajzew und Popow. Zunächst zeigte man sich sehr erstaunt, einen derartigen Vorschlag von einem Finanzmann gemacht zu bekommen, und fragte so ungefähr, ob ich mich nicht in der Tür geirrt hätte. Als ich dabei blieb, hörte man mich an, und so wurde im Laufe mehrerer Verhandlungen zwischen dem Kultusministerium der UdSSR und der privaten Institution Deutsche Bank eine Vereinbarung erzielt, welche festlegte, gemeinsame Bemühungen zur Durchführung eines Kunstaustauschs unternehmen zu wollen.

Vom Zeitpunkt her günstig war, daß wir gerade in der Endphase der nicht einfachen Verhandlungen über das oft erwähnte Jamal-Pipeline-Geschäft standen – ein Geschäft, das die Sowjets damals als einen »Jahrhundert-Deal« bezeichneten. Dazu paßte ein signifikantes Ereignis, wie es ein erster Schritt zum Kunstaustausch war. Die Bank hat dabei von vornherein die Gespräche geführt und Hilfe bei der Organisation geleistet. Auf beiden Seiten waren Kunstsachverständige am Werk, die sich über viele Jahre auch persönlich näherkamen und so schließlich mehrere Aktionen hüben wie drüben zuwege brachten.

Die erste Ausstellung deutscher Gegenwartskunst in Moskau – sie war vorbereitet und ausgestaltet worden vom Kunstverein für die Rheinlande und Westfalen in Düsseldorf – eröffnete ich mit meinem Partner, dem stellvertretenden Minister des Kultusministeriums, am 18. März 1983. Sie war dem Thema »Mensch und Landschaft« gewidmet.

Das Datum bleibt mir auch aus einem anderen Grund im Gedächtnis. Am Morgen dieses Tages konnten wir mit den Mächtigen der Stadt Moskau und dem Vorsitzenden der Behörde, die mit uns verhandelt hatte, feierlich den Grundstein für ein eigenes Haus unserer Vertretung in der Sowjetunion legen. Unsere bis dahin benutzten Räume im altmodischen, aber sonst sehr angenehmen Hotel »Metropol« waren zu eng geworden. Wir hatten daher die Anregung gegeben, ein kleines, vom Verfall bedrohtes, ursprünglich sehr schönes Haus in der Altstadt völlig neu, aber im alten Stil wiederaufzubauen und für unsere Zwecke zu nutzen. An diesem Tag der Grundsteinlegung waren alle Mühen vergessen, die uns der lange und beschwerliche Instanzenweg bis hinauf zum Ministerrat der Sowjetunion zur Genehmigung unseres Bauvorhabens gekostet hatte. Nun hatten wir endlich ein eigenes Domizil.

Die für den Abend vorgesehene Eröffnung unserer Kunstausstellung war allerdings bis zuletzt in Frage gestellt. Ein übereifriger Beamter des sowjetischen Außenministeriums beanstandete unseren sorgfältig ausgearbeiteten Katalog. Ihm war zu entnehmen, daß Westberliner Künstler einen großen Anteil an den Exponaten hatten. Wir wurden belehrt, daß es sich um eine Ausstellung der Bundesrepublik Deutschland handele und daß Berliner dabei nicht mit aufgeführt werden könnten. Es gebe nun einmal »BRD-Deutsche«, »DDR-Deutsche« und separat »Berliner« als dritte Kategorie. Nur der Standhaftigkeit unseres Moskauer Botschafters Dr. Andreas Meyer-Landrut war es zu verdanken, daß es in letzter Minute zu einem Kompromiß kam. Er bestand darin, daß der zweisprachig aufgemachte Katalog im russischen Text geändert wurde, im deutschen Text aber unverändert blieb.

Die Eröffnungsfeier wurde zu einem glanzvollen Ereignis. Wie wohl nie zuvor war die gesamte Künstlerkolonie Moskaus eingeladen worden und fast vollständig erschienen. Man sagte mir, dies sei die allererste Ausstellung westlicher zeitgenössischer Malerei in der sowjetischen Hauptstadt. Nach ihrer äußeren Erscheinung, ihrem Auftreten, ihren Gesichtern konnte man den hier versammelten Moskowitern ansehen, daß sie alle zusammen echte Künstlernaturen und Individualisten waren, die man sonst nur vereinzelt und unter Mühen zu Gesicht bekommen hätte.

Mit meinem sowjetischen Partner begab ich mich auf den Weg durch die Ausstellung, hier etwas erläuternd, dort ein Urteil entgegennehmend. Sehr bald machte mich jemand darauf aufmerksam, daß uns viele der meist jüngeren Gäste folgten und zuhören wollten – lauter potentielle Künstler. Ich kam mir wie der Rattenfänger von Hameln vor. Einige unter ihnen erkannte ich wieder. Ich hatte sie bei meinen Streifzügen durch die Moskauer Kunstszene in Kellern, Katakomben, Dachwohnungen und Hinterhöfen kennengelernt und mich mit ihnen über ihre Kunst unterhalten. Schon bei diesen ersten Treffen hatte ich das unbequeme Gefühl, daß meine Besuche bei ihnen falsche Hoffnungen erweckten. Einige der jungen Leute meinten wohl, ich würde mich für ihre Anerkennung im Westen verwenden können, so daß sie endlich aus dem Ghetto halbillegaler Existenz in der Sowjetunion ausbrechen könnten. Allzuoft hatte ich dabei erfahren müssen, wie schon ein gewisses Interesse meinerseits an ihrer Kunst und Fragen nach ihrem Alltag zu völlig unrealistischen Erwartungen führten. Ich empfand dies als für beide Seiten tragisch.

Dazu muß man wissen, welchen Gewissensentscheidungen ein Künstler in der Sowjetunion ausgesetzt ist. Es gibt für ihn nur die Alternative, dem »Künstlerverband der UdSSR« beizutreten, dem rund 22000 registrierte Kunstschaffende angehören, oder ein mehr oder weniger verfemter Einzelkämpfer zu bleiben. Im ersten Fall hat er ein bescheidenes Fixum, kann an offiziellen Ausstellungen teilnehmen und Kataloge publizieren. Der nicht-registrierte Künstler begibt sich dieser Möglichkeiten. Er muß sich selbst durchschlagen. Ich habe gesehen, daß manchen dies auch gelang, indem sie ihre Werke beispielsweise an Ausländer, vor allem Diplomaten, verkauften. Die Mehrzahl der »Inoffiziellen« fristet jedoch ein klägliches und unwürdiges Dasein. Dabei bedrückt sie weniger die materielle Not als der Verzicht auf künstlerische Anerkennung.

Mitte der sechziger Jahre schien es, als ob diese traurige Situation sich durch eine Lockerung der Quarantäne zum Besseren wenden würde. Aber dieser Trend nahm ein brüskes Ende, als Anfang der siebziger Jahre die Moskauer Miliz eine inoffizielle Ausstellung nonkonformistischer Künstler auf einem Baugelände am Moskauer Stadtrand mit dem Bulldozer beendete. Die Regierung verkündete damals, es gebe nur eine Kunstrichtung, die des sozialistischen Realismus. Die Moskauer Künstler, aber auch die westliche Öffentlichkeit empfanden dies als einen brutalen Rückfall in überwunden geglaubte Dogmen. Tiefe Bestürzung war die Folge. Es bleibt anzumerken, daß auch die offiziell registrierte Kunst durchaus beachtliche Werke hervorgebracht hat. Mindere und gute Qualität gibt es in beiden Richtungen.

Noch ein Nachgedanke zu unserer ersten Ausstellung westlicher Kunst im Moskau des Jahres 1983. Bei allem Erfolg muß ich kritisch anmerken, daß wir den sowjetischen Betrachter möglicherweise überfordert haben. Er zeigte sich durchaus aufgeschlossen und wißbegierig vor dieser ersten Enthüllung zeitgenössischer westdeutscher Kunst. Aber da er sein tradiertes Kunstverständnis mitbrachte und Vergleichsmaßstäbe nicht besaß, gab es für so manchen einen Schock. Das konnten wir dem Zettelkasten entnehmen, den wir wohlweislich aufgestellt hatten, um Reaktionen zu bekommen. Wie ein roter Faden zog sich durch die dort gesammelten Notizen das Erstaunen darüber, daß der pessimistische Grundton vieler Darstellungen so gar nicht zu dem Bild paßte, das man sich in der Sowjetunion von den Lebensverhältnissen im »Goldenen Westen« machte.

Der Durchbruch aber war mit dieser Ausstellung geschafft. Im Gegenzug brachte das sowjetische Kultusministerium im Dezember 1984 eine mit Exponaten aus mehreren Jahrhunderten reich bestückte Ausstellung nach Düsseldorf, die einen großen Neuigkeitswert besaß und entsprechende Aufmerksamkeit erregte. Gleichzeitig fand ein Kunstseminar statt, das Experten beider Seiten zum offenen Meinungsaustausch nutzten. Noch hatte Gorbatschow sein Amt nicht angetreten. Aber schon hier zeigte sich, daß eine solche Plattform den Künstlern Gelegenheit zum besseren gegenseitigen Verständnis bot, trotz aller ideologischen Vorbehalte auf beiden Seiten.

Diese Erfahrung machte uns Mut, ein von langer Hand vorzubereitendes Projekt in Angriff zu nehmen: eine gemeinsame, also von beiden Seiten zu beschickende Ausstellung »Krieg und Frieden«. Sie sollte Werke von Künstlern zeigen, die am eigenen Leib die Schrecken dieses Jahrhunderts erfahren hatten und diese, aber auch die Menschheitsplage früherer Jahrhunderte, den Krieg schlechthin, darzustellen und zu brandmarken in der Lage waren. Den Schwerpunkt sollten die beiden Kriege dieses Jahrhunderts zwischen Deutschen und Russen bilden. Hiermit würde eine Mahnung verbunden sein, daß ein neuer, noch brutalerer Krieg für beide Seiten keine Hoffnung auf ein Überleben ließe.

Das Thema war eine gewisse Herausforderung. Würde unsere bisher erzielte Verständigung verhindern können, daß man in Polemik und gegenseitige Beschuldigungen verfiel und damit alles wieder zunichte machte? Oder würde der Schwur, es niemals wieder zu solchen Exzessen kommen zu lassen, als das stärkere Element aus den Bildern sprechen? Was ich bisher dazu in Museen, Filmen, Kunstbüchern gesehen hatte, machte mich eher skeptisch. Würden nicht bei jenen, die den Krieg in Rußland erlebt hatten, alte Wunden wieder aufbrechen?

Bevor diese programmatische Ausstellung an der Wende 1987/88 Wirklichkeit wurde, haben wir noch einen kleinen Probelauf veranstaltet. Bei unseren Aufenthalten in den westsibirischen Gasfeldern hatte uns die Moral der in diesem harten Klima arbeitenden Menschen sehr imponiert. Als eine Geste der Sympathie brachten wir eine Horst-Janssen-Ausstellung nach Nowosibirsk, die anschließend noch in Moskau gezeigt wurde. Der geniale Zeichner Horst Janssen hat den russischen Menschen und seine Landschaft in seinem Werk zu besonderer Geltung gebracht. Stark beeindrucken seine Porträts russischer Schriftsteller und Dichter. Janssen ist auch der Schöpfer eines besonders gut gelungenen Porträts von Tolstoi, welches Bundeskanzler Schmidt Leonid Breschnew bei einem Besuch in Bonn zum Geschenk machte. Wir haben dieses Porträt schon früher als Leihgabe zu Ausstellungszwecken von der Witwe des ehemaligen Generalsekretärs erhalten.

Das Projekt »Krieg und Frieden« brauchte bis zur Vollendung ungefähr drei Jahre, eine Zeit, die dem Thema angemessen war. Auf Wunsch der Sowjets änderten wir den Titel in »Schrecken und Hoffnung«. Die Auswahl der Exponate bereitete auf beiden Seiten Kopfzerbrechen. Zu meiner Freude konnte ich indes bald feststellen, daß die Sowjets auf jeden propagandistisch-ideologischen Aspekt verzichteten.

Beim schon geschilderten Friedenskongreß im Februar 1987 erfuhr ich, daß erstmals seit Jahrzehnten eine »offiziöse«, also geduldete Ausstellung von über sechzig nicht-registrierten Künstlern in einer armseligen Unterkunft in der Moskauer Bannmeile stattfand. Ich begab mich dorthin, nachdem ich meine Absicht auf offizielle Anfrage am Vortag bestätigt hatte. Einige der ausstellenden Künstler waren anwesend. Sie standen ordentlich aufgereiht vor ihrem jeweiligen Œuvre, und ihre Gesichter waren voller Erwartung. Einmal mehr war die Nachricht von meinem Kommen durch Mund-zu-Mund-Information verbreitet worden. Das war mir peinlich, da ich ihre Hoffnungen auf größere Käufe nicht erfüllen konnte. Bei der Besichtigung wurde mir aber rasch klar, daß wir die gemeinsame Ausstellung ein halbes Jahr später nicht würden eröffnen können, ohne das eine oder andere der hier gezeigten Bilder mit aufzunehmen. Diesen Standpunkt habe ich auch Kultusminister Sacharow gegenüber vertreten – und er pflichtete mir bei. Ich nahm es als ein erneutes Beispiel für die Auflockerung der Verkrustungen.

Die Ausstellung umfaßte schließlich dreihundert Exponate. Sie wurde im Oktober 1987 in der Hamburger Kunsthalle vom damaligen Ersten Bürgermeister der Hansestadt, Klaus von Dohnányi, eröffnet. Die Verantwortung hatte Professor Hofmann, der Chef der Kunsthalle. Später ging sie nach München, wo sie Oberbürgermeister Georg Kronawitter eröffnete. Im Frühjahr 1988 haben dann Kultusminister Sacharow und ich die Eröffnungszeremonie bestritten, zunächst in der Moskauer Tretjakow-Galerie und dann in der Eremitage in Leningrad. Es war Ende Mai, und die farbenfrohe Stadt an der Kronstädter Bucht zeigte sich in ihrer ganzen Pracht. Professor Piotrowski, der im In- und Ausland hochverehrte Altmeister der sowjetischen Museen, sorgte für prominente Plazierung und herzliche Begrüßung. Die Ausstellung war überall ein voller Erfolg und übertraf alle unsere Erwartungen.

So also hatte ich eine weitere mir verborgene Seite der Sowjetunion, den »Archipel Kunst«, entdeckt. Die Begegnung mit sowjetischen Künstlern, offiziellen wie offiziösen, wurde zu einer meiner Lieblingsbeschäftigungen. Abseits von geschäftlichen, zuweilen dramatischen Kontakten in diesem Land tat sich hier ein menschlicher Bereich auf.

Wenn es Ausstellungen zu organisieren gab, mußte ich mit zwei hohen Herren Verbindung aufnehmen: mit dem Kultusminister und dem sehr offiziellen »Ersten Sekretär des Künstlerverbandes der UdSSR«, Akademie-Professor Tair Salachow. Er ist Aserbeidschaner, stammt aus Baku und ist ein außerordentlich einfühlsamer, dazu charmant-südländischer Vertreter seiner Zunft. Seine Frau ist eine hübsche, weithin bewunderte Primaballerina. Tair Salachow ist selbst Maler. Er bestand darauf, mich zu porträtieren, und ich saß ihm in seinem modern ausgestatteten Moskauer Atelier. Die Kohlezeichnung hängt bei mir zu Hause, als Erinnerung an viele Begegnungen jener Jahre.

Dabei blieben mir freilich auch Prüfungen nicht erspart. Es war oft seelisch belastend, in Moskau oder in Düsseldorf und Frankfurt mit Tair Salachow, dem »Offiziellen«, unsere Vorhaben zu besprechen und dabei immer wieder dessen angesehene, aber natürlich regierungsamtlich zugelassene Kollegen empfohlen zu bekommen und im stillen an die Künstler denken zu müssen, die als Nicht-Registrierte in Bedrängnis lebten und nicht immer vermittelt werden konnten. Gespräche in dieser Richtung konnten nur mit großer Zurückhaltung geführt werden. Ich wußte, daß meine Ausflüge in die künstlerische Illegalität meinen offiziellen Partnern längst bekannt waren.

Es gab auch andere eigenartige Begegnungen. Unfreiwillig wurde ich zum Vermittler zwischen Künstlern und hohen Funktionären meines Gastlandes, die ohne mein Dazutun womöglich gar keine Gelegenheit gehabt hätten, sich kennenzulernen. Ich legte Wert darauf, hohe Vertreter des Kunstlebens zwanglos mit diesem oder jenem Partner aus meinen geschäftlichen Gesprächen zusammenzubringen und auf diese Weise meinen Erfahrungsschatz zu bereichern. Gern lud ich Museumsdirektoren zu solchen Zusammenkünften ein, wie etwa Professor Koroljow, den Leiter der weltberühmten Tretjakow-Galerie. Zu meinem Erstaunen stellte ich dann fest, daß man sich gar nicht kannte.

Als Falin 1978 seinen Posten als Botschafter in Bonn verließ, hatte ich auch in Sachen Kunst mit ihm einen ausführlichen Meinungsaustausch. Ich brachte mein Befremden darüber zum Ausdruck, daß die Sowjetunion der eigenen Bevölkerung wie dem Ausland den Genuß der großen Werke der klassischen Avantgarde vorenthielt. Zur Überwindung dieser Stagnation regte ich an, die bevorstehenden Olympischen Spiele in Moskau (1980) zu nutzen, um nach dem Muster der »Olympiade der Kunst« von 1972 in München eine großangelegte Retrospektive dieser Schaffensperiode parallel zu den Sportveranstaltungen zu bieten. Falin, aufgeschlossen und selbst ein Kenner dieser kreativen Zeit, zeigte sich sehr interessiert. Aber eine Antwort gab er nicht. Offenbar wirkte der Bannfluch Stalins noch bis in jene Tage.

Dies merkte ich auch bei einer späteren Gelegenheit. Als die Sowjets im Sommer 1982 den von ihnen so hervorgehobenen Jamal-Gasröhren-Vertrag in Leningrad mit uns unterschrieben, zeigten sie sich in Spendierlaune und fragten mich, welchen besonderen Wunsch sie mir aus Anlaß dieser denkwürdigen Unterzeichnung erfüllen könnten. Ich bat darum, die (geheimen) Schätze der russischen Avantgarde sehen zu dürfen, die in einem der schönsten Gebäude von Leningrad, im Staatlichen Russischen Museum am Platz der Künste, untergebracht sind. Dieses Gebäude diente im vorigen Jahrhundert dem Großfürsten Michael als Stadtpalais und war schon lange vor der Revolution zu einem Domizil der Kunst geworden. Die Bilder, die mich interessierten, waren aber nicht etwa ausgestellt, sondern untergebracht in einem Magazin unter besonderem Verschluß, so als ob es sich um ideologisch giftige Produkte, eine Art Sondermüll, handelte, der streng abzuschirmen sei. Es war mir ein unvergeßliches Erlebnis, diese großartigen Schätze, obwohl vernachlässigt und in einem finsteren Kellerverlies, zu Gesicht zu bekommen.

Es hat lange gedauert, ehe sich die Regierung bereit fand, die jahrzehntelang verfolgte restriktive Politik zu lockern. Ich hatte das Gefühl, daß diese feindselige offizielle Haltung keineswegs der Einstellung der einzelnen Kunstfunktionäre entsprach. Diese waren der Avantgarde gegenüber durchaus aufgeschlossen, nur hatte niemand den Mut, sich zur »Bannware« dieses Genres zu bekennen.

Eine Änderung dieses Zustands brachte zweifellos erst eine Auktion zeitgenössischer sowjetrussischer Kunst durch das Haus Sotheby's im Sommer 1988 zustande. Pawel Choroschilow, derzeit Leiter der offiziellen Verkaufsorganisation des Künstlerverbandes für zeitgenössische Kunst, hat entscheidend daran mitgewirkt. Choroschilow, vormals Ausstellungskommissar des Ministeriums, und seine Mitarbeiterin, Frau Butrowa, haben jahrelang mit uns zusammen die Ausstellungen vorbereitet, von denen in diesem Kapitel die Rede war. Die Sotheby's-Auktion wirkte auf alle wie eine Befreiung von jahrzehntelanger Fesselung. Herr Choroschilow konnte sich allerdings nicht ungeschmälert freuen. Für ihn findet die Entfesselung erst dann statt, wenn sich auch im Inland ein genügend großes und fundiertes Interesse an der sowjetischen Avantgarde regt. Einstweilen bestimmen zu sehr ausländische Interessenten das Geschehen und sorgen eher für Irritationen. Es ist offensichtlich ein Modetrend geworden, sich mit sowjetrussischer Malerei zu befassen.

Kommt das »Sowjetische Jahrhundert«?

Viele Wege haben mich in den hinter uns liegenden Jahrzehnten – und auf den Seiten dieses Buches – nach Rußland geführt. Die Motive über diesen langen Zeitraum hinweg waren so unterschiedlich wie die Atmosphäre, die bei meinen Begegnungen mit den Sowjets herrschte. Ständiger Wandel begleitete meine Gespräche und Impressionen. Nicht immer ging es freundschaftlich zu, und manchmal schien es fast vermessen, auf bessere Zeiten zu hoffen. Klimatische Rückschläge lauerten hinter jedem Termin. Ihre Ursachen lagen freilich weniger in meinen Themen und auf meiner Gesprächsebene. Meist waren Irritationen durch die politische Großwetterlage bestimmt. Es wäre an der Zeit, einmal zu erforschen, wo objektiver Dissens zu politischen Verwerfungen im Ost-West-Verhältnis führte und wo es gegenseitiges Mißtrauen oder Unverständnis für die andere Seite, vielleicht auch nur ein simples Mißverständnis war, was die gegenseitige Verhärtung auslöste.

Ist das alles schon Geschichte? Ist das Kapitel »Kalter Krieg« beendet und reif, der Forschung überantwortet zu werden? Die Historie selbst lehrt uns Vorsicht. Da sie aber nie allein Vergangenheit erklären will, sondern Antworten für die Zukunft sucht, zwingt sie uns zugleich, weitere Fragen zu stellen. Was wird aus der Sowjetunion und ihrem Imperium? Was wird aus dem Kommunismus? Steht uns ein »Sowjetisches Jahrhundert« bevor, nicht mehr im Sinne unserer Ängste, die ja jahrzehntelang berechtigt waren und sich im Schutz- und Trutzbund der Nordatlantischen Allianz verkörperten, sondern im Sinne einer freien, rechtsstaatlich begründeten, friedliebenden und wirtschaftlich prosperierenden Sowjetunion?

Hoffnung und Skepsis liegen da eng beieinander. Beim Blick in die marxistische Hemisphäre halten sich in diesem Jahr 1989 Freude und Schrecken die Waage. In China hat eine altersstarre, machtbesessene Parteispitze den Primat der Kommunistischen Partei über Tausende von Leichen hinweg verteidigt. In der DDR erklärte eine Ministerin zur gleichen Zeit, das Regime werde nicht zögern, den Sozialismus ebenfalls mit der Waffe in der Hand zu verteidigen. In der Tschechoslowakei lehnt die Partei jede Teilhabe des Volkes an der Macht kategorisch ab. Über das Rumänien Ceauşescus hat sich der bleierne Deckel totaler Isolation gesenkt. Aber in Polen gibt eine ratlose Partei einen Teil ihrer selbstverliehenen Allmacht an die Opposition ab. In Ungarn streicht man das Wort Kommunismus aus Verfassung und Gesetzen und denkt offen über einen Beitritt zur Europäischen Gemeinschaft nach.

Viele Tendenzen scheinen also denkbar. In meinen Augen spricht einiges dafür, daß die UdSSR auf absehbare Zeit weder eine chinesische noch eine ungarische Entwicklung nehmen wird. Anders als die chinesische Führung hat Gorbatschow frühzeitig erkannt, daß wirtschaftliche Reformen mit gesellschaftlichen einhergehen müssen. Der kreative und leistungswillige Genosse, den er für die Wirtschaft fordert, gibt seinen kritischen Verstand nicht am Werkstor ab. Gerade diese Schizophrenie aber glaubte die chinesische Führung von ihren Bürgern verlangen zu können. Das Ergebnis war das Drama des Sommers 1989.

Gorbatschow hat die freie Meinungsäußerung auf der Straße und in der Partei zugelassen, ja sie sogar provoziert. Er hat die Revolution von oben angeordnet und damit eine allmählich wachsende, sich vorsichtig vorantastende öffentliche Meinungsbildung in Gang gebracht – allenfalls von den Intellektuellen vorangetrieben. In der Partei fing Gorbatschow die zunehmend offen und kontrovers geführte Diskussion durch eine liberale Regie auf. Die Wahl zum Deputiertenkongreß wurde zur Wahl zwischen konkurrierenden Kandidaten, und die Sitzungen der Volksdeputierten wurden unter Teilnahme der Weltöffentlichkeit zu einem breiten Forum der Meinungsäußerung. Zwar gibt es keinen Vergleich mit einem Parlament westlichen Zuschnitts. Die Kommunistische Partei behält die alleinige Entscheidung in Händen in einem Hause, welches ältere Funktionäre verächtlich, aber offenbar resignierend als »Quasselbude« bezeichnen. Aber die Wahl hat Luft geschaffen, und diese geschickt geöffneten Ventile werden – das darf man vermuten – Gorbatschow und der UdSSR ein »chinesisches Schicksal«, die verhängnisvolle Eskalation von Aufstand und Niederschlagung, ersparen.

Gleichwohl stellt sich für Gorbatschow unaufhaltsam und unerbittlich die entscheidende Frage: Wie steht es mit dem Primat der Partei? Wird er tatsächlich das innere Spektrum der KPdSU so weit öffnen können und wollen, daß weitere Parteien überflüssig werden? Nach westlichen Erfahrungen kann keine Partei einen solchen Spagat politischer Richtungen wagen, ohne in eine konturlose, schwer definierbare Bewegung zu zerfallen, allenfalls zusammengehalten vom Charisma eines überragenden Parteiführers.

Die nationalen Autarkiebestrebungen haben für Ernüchterung gesorgt. Sie beweisen, daß eine zaghafte Dezentralisierung allein nicht reicht, um die aufbegehrenden Völker der Sowjetunion zu befrieden. Über hundert Nationalitäten zählt dieses Reich. Die sowjetische Führung wird erkennen müssen, daß dieses Land allein eine konsequent föderale Struktur zusammenhalten kann, die den teilweise kleinen Volksgruppen die Angst vor dem Nachbarn, insbesondere aber vor der Majorisierung durch die bei weitem bevölkerungsreichsten Russen nimmt. In diesem Riesenland sind Demokratie und Föderalismus siamesische Zwillinge. Diese Auffassung diskutierte ich im Juni 1989 mit Professor Wladimir Schenajew, dem Direktor des Europa-Instituts der Akademie der Wissenschaften der UdSSR. Er stimmte mir im Grundsatz zu.

Nicht minder ernst sind die sozialen Konflikte, die sich in spontanen Arbeitsniederlegungen und Streiks Luft machen und wie eine Springflut das Land überziehen. Aber dieses Phänomen ist systemneutral: Auch in anderen Ländern wie Griechenland, Spanien oder etwa den südamerikanischen Ländern wurde der Übergang von der Diktatur zur Demokratie von Arbeitskämpfen begleitet. Die neue Freiheit will erst einmal erprobt werden; exzessive Formen können insbesondere dann nicht ausbleiben, wenn soziale Mißstände über Jahrzehnte durch Gewaltandrohung festgeschrieben wurden. Aber sie verschärfen natürlich die Versorgungskrise und lassen nicht nur in orthodoxen Parteikreisen, sondern auch auf der Straße leicht den Ruf nach der starken Hand aufkommen.

Rückschläge sind vom konservativen Lager auch aus einer anderen Richtung zu befürchten. Die ihrer Privilegien beraubten Funktionäre werden revoltieren, die wirtschaftlich Benachteiligten aufbegehren, und die sozial Getroffenen werden Widerstand leisten. Vielleicht wird das Zentralkomitee oder das Politbüro dem Reformeifer des Parteichefs ein Ende setzen und eine Phase der Stagnation einleiten. Nüchterne, seriöse Prognosen zur weiteren Entwicklung der UdSSR scheinen vor diesem bewegten Hintergrund unmöglich. Geschichtserfahrungen lehren, daß Entwicklungen nicht geradlinig verlaufen; Sprünge, Brüche und Rückschläge sind eher die Regel denn die Ausnahme. Gorbatschow wurde erst mehrheitsfähig, weil auf Andropow Tschernenko folgte. Die Stagnation, ja, der Rückfall wurde – nach einer kurzen Phase des Aufatmens unter Andropow – augenfällig.

Vielleicht braucht dieser schwerfällige Koloß Sowjetunion noch einmal den Rückschritt, um erst in einem dritten, entschlosseneren und allseits mitgetragenen liberalen Reformanlauf den tatsächlichen Umbau durchzustehen. Aber er wird ebenso sicher kommen, wie sich heute die aktuellen Rückschläge fast zwangsläufig einstellen.

Der äußerst prekäre Ist-Zustand eines so großen Landes nach siebzig Jahren zentralistischer Planwirtschaft kann und wird auch von niemandem ernsthaft bestritten. Die Infrastruktur des Denkens ist negativ vorgezeichnet und damit nicht tauglich, Reformideen kurzfristig in die Tat umzusetzen – obwohl allein darin die Chance für Verbesserungen läge. Das Land und seine Menschen müssen durch ein hartes und eher langandauerndes Purgatorium. Auch ein möglicher Nachfolger des jetzigen Generalsekretärs könnte diese unverrückbaren und inzwischen vor aller Welt offengelegten, schließlich auch politisch gefährlichen Mißstände nicht ignorieren.

Im Westen wird immer wieder gefragt, wie sich die Reformbemühungen in der Sowjetunion sinnvoll und politisch vertretbar unterstützen ließen. Es kam der Gedanke auf, ob nicht ein neuer Marshallplan, nach dem Muster der amerikanischen Westeuropa-Hilfe nach dem letzten Krieg, das probate Mittel wäre. Hochrangige Politiker beiderseits des Atlantiks haben in lobenswerter Absicht eine Art Entwicklungshilfe gefordert. Mir offenbart sich hierin eine weitgehende Unkenntnis der politisch-psychologischen Ausgangslage.

Gewiß weist die Sowjetunion, dieses größte Land der Erde, riesige nicht erschlossene oder nicht effizient genutzte Bodenschätze, beachtliche nationale Ressourcen an Arbeitskraft und Intelligenz auf. Aber sie ist kein Entwicklungsland im herkömmlichen Sinn. Sie verfügt über biologische und materielle Reserven, hat glänzende wissenschaftliche, vor allem technische Leistungen vorzuweisen und verfügt über einen hohen kulturellen Standard. Viele Diskussionen mit hervorragenden Repräsentanten dieser Fachbereiche – schon unter Leonid Breschnew und auch jetzt – haben mich in meiner Ansicht bestärkt, daß die UdSSR vom Westen nur partnerschaftliche Unterstützung eigener

Bemühungen akzeptieren würde, und zwar bei Wahrung der vollen Parität. Gönnerhaft vorgebrachte Empfehlungen, was man tun könnte und müßte, haben immer nur verständliche Irritationen erzeugt.

Uns Deutschen fällt bei der gewünschten Hilfestellung eine besondere Rolle zu. Seit der Zeit Peters des Großen, von den Sowjets mit einer gewissen Distanz immer noch Peter I. genannt, und bis in die Tage der Revolution von 1917 hinein haben Deutsche aus allen Schichten dem Zarenreich gedient. Das ist vielen Russen noch heute, wenn auch unterbewußt, gegenwärtig. Deutsche haben über zwei Jahrhunderte hinweg ihre Spuren hinterlassen, sei es im Bürgertum der Städte, sei es unter den Landwirten in der weiten Provinz – schließlich haben deutsche Siedler seit Katharina der Großen ganze Gebiete urbar und fruchtbar gemacht –, sei es am Hof und im Heer, wo der baltische Adel eine beherrschende Stellung einnahm. Der deutsche Nothelfer ist also eine klassische Figur im russischen Nationalbewußtsein. Er war zur Stelle, wenn man ihn brauchte.

Gontscharow hat ihm in seinem amüsanten Roman »Oblomow« 1859 ein Denkmal gesetzt. Der Russe Oblomow, aus niederem Adel, sympathisch und liebenswert in seinem Mangel an Entschlußkraft, kann immer auf den Beistand seines deutschstämmigen Freundes Stolz zurückgreifen, wenn es mit der Organisation hapert. Hier ein bezeichnender Dialog:

»Irgendwann wirst du doch aufhören zu arbeiten«, bemerkte Oblomow.

»Niemals werde ich aufhören. Weshalb?«

»Wenn du deine Kapitalien verdoppelt hast«, sagte Oblomow.

»Auch wenn ich sie vervierfache, höre ich nicht auf.«

»Weshalb rackerst du dich ab«, fuhr Oblomow nach einer Pause fort, »wenn dein Ziel nicht darin besteht, dich auf Lebensdauer zu sichern und dich dann zur Ruhe zu setzen und aufzuatmen . . .?«

»Ländliche Oblomowerei!« sagte Stolz.

». . . oder durch den Staatsdienst Ansehen und eine Stellung in der Gesellschaft zu erlangen und in ehrenvoller Muße die verdiente Ruhe zu genießen?«

»Petersburger Oblomowerei!« rief Stolz aus.

»Wann willst du denn leben?« entgegnete Oblomow ärgerlich auf Stolzens Bemerkungen. »Wozu sich sein Leben lang abrackern?«

Der Roman ist offenbar populär in der Sowjetunion. Bei einer vertraulichen Gesprächsrunde über festgestellte Mängel unserer Zusammenarbeit rief mir einmal ein sowjetischer Teilnehmer, in Anspielung auf diese historische Erfahrung, zu: »Wir brauchen eben einen *Iwan Stolz*!«

Die Sowjets schätzen an den Deutschen vor allem das Organisationstalent, das sie sich selbst nicht zusprechen. Wie wenig Russen in der Lage sind, schnell auf unvorhersehbare Katastrophen zu reagieren, hat sich in Tschernobyl 1986 und bei den armenischen Erdbeben im Dezember 1988 gezeigt. Auf der anderen Seite sind sie durchaus zur Improvisation fähig.

Deutsche Soldaten werden sich zweifellos noch an das phänomenale Geschick des russischen Gegners erinnern, Schwierigkeiten beim Frontbetrieb oder beim Mangel an Waffen und Gerät zu überwinden. Der Einfallsreichtum »des Iwan« in kritischen Situationen hat immer wieder überrascht.

Die innere Bereitschaft meiner Gesprächspartner, sich zu öffnen, nachdem ideologische Klischees mit großer gegenseitiger Geduld abgetragen worden waren, wird mir in dankbarer Erinnerung bleiben. Aber ich muß zur Behutsamkeit mahnen. Wenn ich von der Wirkung der Deutschen in der Geschichte des alten Rußland gesprochen habe, so darf ich nicht unerwähnt lassen, daß die zeitweilige Dominanz des deutschen Einflusses – vor allem auf die Politik des Zarenhofes – zum Ärgernis wurde. Ihr ist das Entstehen einer slawisch-nationalen Gegenbewegung um die Jahrhundertwende zu verdanken, die das gute Einvernehmen zwischen Russen und Deutschen nachhaltig störte. Diese Erfahrung sollte uns bei jedem Anerbieten von Hilfe stets bewußt sein.

Vergessen wir auch nicht die Auswirkungen einer solchen Entwicklung auf unsere westlichen Nachbarn. Diese sind, wie wir inzwischen wissen, hochsensibel gegenüber jeder außenpolitischen Neuorientierung der Deutschen in Richtung auf mehr Zusammenarbeit mit Moskau. Tauroggen* und Rapallo** sind rasch in aller Munde.

Wir sind auf dem Weg zu einem Europa, das ab

* In der Mühle von Tauroggen hatte Graf Yorck, Befehlshaber der preußischen Hilfstruppen im Heer Napoleons, in eigener Verantwortung entschieden, den Kaiser nicht mehr zu unterstützen. Am 30. 12. 1812 schloß er mit den Russen einen Neutralitätsvertrag.

** Als im April 1922 die erste Weltwirtschaftskonferenz des 20. Jahrhunderts – allerdings in Abwesenheit der USA – die sowjetische und die deutsche Delegation weitgehend auszuschließen versuchte, da man weder die UdSSR anerkennen noch die deutschen Reparationszahlungen akzeptabel regeln wollte, schlossen Moskau und Berlin in Rapallo zur völligen Überraschung der Westalliierten, praktisch über Nacht, einen Vertrag auf der Grundlage gegenseitiger Anerkennung. Wichtigste Punkte: Aufnahme diplomatischer Beziehungen, Verzicht auf gegenseitige Forderungen aus Kriegszeiten, Kooperation auf verschiedenen Gebieten.

1993 nicht nur wirtschaftlich, sondern auch politisch immer enger zusammenrücken wird. Sollten wir uns nicht heute schon Gedanken über eine Art europäischer Arbeitsteilung in der internationalen Zusammenarbeit machen? Man könnte eine Prioritätenliste aufstellen: die Briten für die Pflege der Beziehungen zum amerikanischen Vetter, Franzosen und Italiener für die afrikanischen Nachbarn, Spanier und Portugiesen für ihre Nachfahren in Lateinamerika und die Deutschen für Mittel- und Osteuropa. Dieses Schema schlösse von vornherein einen deutschen Alleingang nach Osten aus. Ihre Ostpolitik wäre dann keine nationale Unternehmung klassischen imperialistischen Zuschnitts, sondern beruhte auf einem »europäischen Mandat«. Zum Ausgleich sollten die Wirtschaftsbeziehungen zur Sowjetunion, im Augenblick gekennzeichnet von nationaler Konkurrenz unter den Westeuropäern, zunehmend durch europäische Konsortien wahrgenommen werden. Die Bundesrepublik entginge so dem Vorwurf, einseitige Wirtschaftsvorteile anzustreben. Schließlich sollten auch die USA mit eingeschlossen werden.

Das alles aber ist noch keine Antwort auf die Frage, ob wir ein »Sowjetisches Jahrhundert« erleben werden. Sie kann letztlich nur von der Sowjetunion selbst beantwortet werden.

Ist uns die Geschichte hilfreich? Sie läßt sich bekanntlich nicht mathematisch errechnen. Ideen und Menschen schaffen Unwägbarkeiten, und auch der Zufall, ja das Paradoxon, haben häufig genug das Weltgeschehen bestimmt. War es nicht das kaiserliche, das kapitalistische Deutschland, das den Bolschewiki unter Lenin zum Durchbruch verhalf? Ist es nicht paradox, daß siebzig Jahre nach der Oktoberrevolution ein Gorbatschow in einer »nachgeschobenen« Revolution von oben jene Ziele zu verwirklichen sucht, die das französische Bürgertum zweihundert Jahre vor ihm verfolgte? In den Augen orthodoxer Marxisten war die Große Französische Revolution nie mehr als eine Revolte des Bürgertums gegen den Absolutismus, liberale Augenwischerei zur Zementierung der Herrschaftsverhältnisse. Und nun spricht der aufgeklärte sowjetische Sozialismus plötzlich von Menschenrechten, Rechtsstaatlichkeit, Versammlungsfreiheit und freier Meinungsäußerung.

Der Sturm auf die »Kreml-Bastille« wird, so können wir letztlich nur hoffen, nicht stattfinden. Das Revolutionäre an der augenblicklichen Entwicklung der UdSSR aber liegt, in seiner philosophischen Bedeutung, in der Umwälzung des Bewußtseins, in der Unumkehrbarkeit des eingeschlagenen Weges, im Zusammenbruch des alten Gedankengebäudes. Revolution ist nie allein Zerstörung, sondern auch Keim einer Ordnung; Gorbatschow selbst hat die zweite sowjetische Revolution von oben angeordnet, die gleichermaßen den Abbruch der alten Infrastrukturen der Gesellschaft, der Wirtschaft und des Denkens will, um auf diesem Trümmerhaufen die Zukunft zu errichten.

Fjodor Dostojewski empfand die Russen als ein junges Volk, das soeben erst zu leben beginne. Entwickelt es jetzt auch, vom jahrhundertelangen Fatalismus entfesselt, jene in ihm schlummernde, enorme Kraft, die es zu großer Fahrt in ein »Sowjetisches Jahrhundert« hinein befähigt?

In Frankreich haben die Menschenrechte, von der Revolution erprobt, ein höchst wechselhaftes Schicksal durchlaufen, ehe sie sich als Kern einer unumstößlichen Staatsdoktrin etablieren konnten. Wird es einen ähnlichen Zyklus in der Sowjetunion geben? Ein Zurück zu rigider Parteiherrschaft und zu einer mundtoten Bevölkerung scheint unwahrscheinlich. Die Überlegenheit eines freiheitlichen Systems, das sich mit Demokratie und Marktwirtschaft seinen institutionellen Rahmen gegeben hat, ist allzu offenkundig geworden, seine enorme wirtschaftliche Potenz nicht mehr zu negieren. Eine hochentwickelte Satellitentechnik gewährleistet eine globale »on line«-Kommunikation rund um den Erdball und macht eine Abschottung von Informationen unmöglich.

Seit Jahrzehnten stehen wir im erbitterten Wettbewerb des kapitalistischen mit dem marxistischen System. Er wird nicht erlahmen. Aber er zielt nicht mehr auf Überwindung des einen durch den anderen, sondern auf die schrittweise Angleichung der Ordnungen. Man darf – etwas überspitzt – formulieren: Waren es früher überholte Besitzstände, die Revolutionen auslösten, so sind es künftig die weltweiten und weltoffenen Nachrichtenverbindungen, welche die verkrusteten Strukturen aufbrechen werden. Rumänien, die ČSSR, die DDR – wer räumt diesen Systemen in einer »global village« der Kommunikation noch eine Zukunft ein? Es scheint nur eine Frage der Zeit, bis auch diese letzten Inseln der Diktatur in unserem Europa untergehen, als letzte Archipele des Grauens in einem Jahrhundert, das zwar das »Amerikanische« genannt wurde, zugleich aber gekennzeichnet war von einem menschenfeindlichen Kommunismus, der die von ihm überraschten Völker hinter einem Eisernen Vorhang in Unfreiheit hielt. Freiheit aber ist das große Wort, welches Michail Gorbatschow in Bonn immer wieder für das sowjetische Volk in Anspruch nahm und welches im »Bonner Dokument« vom 13. Juni 1989 protokolliert wurde.

Wir stehen an der Wende zum dritten Jahrtausend. Das 20. Jahrhundert, welches eines der schrecklichsten der Menschheitsgeschichte war, mit über sechzig Millionen Toten in zwei Weltkriegen und ungezählten anderen in Nachfolgekonflikten, wird in wenigen Jahren hinter uns liegen. Ein Jahrtausendwechsel entwickelt eine starke Suggestivwirkung auf die Menschen. Stehen wir vor einer Zeitenwende? Wird es, zum erstenmal seit Menschengedenken, keine Ängste vor einem neuen Weltkrieg für die nach uns kommende Generation mehr geben?

Die Erwartung ist nicht unbegründet. Es gibt Anzeichen für Änderungen im Weltgeschehen, wie sie vor kurzem noch unvorstellbar waren. Das so festgefügt scheinende Koordinatensystem der Macht der beiden Militärblöcke ist in Bewegung geraten. Lange gewohnte Fixpositionen relativieren sich, eignen sich nicht mehr für das Kräftediagramm der Einflüsse. Jeder spricht mit jedem.

Die Erkenntnis der Supermächte, Konflikte wie im Nahen Osten, ja selbst in den eigenen Vorhöfen wie Afghanistan oder Nicaragua nicht mehr allein – weder militärisch noch politisch – lösen zu können, hat die gegenseitige Verständigungsbereitschaft gefördert. Die Einsicht in die wechselseitigen Abhängigkeiten hat die außenpolitischen Doktrinen von »Eindämmung« und militärischer Überlegenheit abgelöst.

China bleibt hingegen für beide Staaten ein nicht fest kalkulierbarer Faktor im Weltgeschehen. Und so wie die Kriegsgefahr im Ost-West-Verhältnis abnimmt, so steigen Anzahl und Intensität regionaler Konflikte, die ihren Ursprung nicht mehr im ideologischen Ost-West-Antagonismus, sondern in ethnischen oder religiösen Reibungen haben.

Gleichwohl: Fünf Jahrzehnte Nicht-Krieg durch das Gleichgewicht des Schreckens im Bann des mehrfachen »Overkill« könnten abgelöst werden von einer Phase aktiver Friedensgestaltung. Die Regierungen der Sowjetunion und der Bundesrepublik haben ihren Willen dazu klar bekundet.

Gorbatschow arbeitet in seinem Land an den Fundamenten eines neuen sowjetischen Hauses und denkt schon an das europäische. Aber noch ist das neue Gebäude fragil. Jeder Sturm wie der, der über den Platz des Himmlischen Friedens in Peking brauste, kann es wegfegen.

Zwar zweifelt außer Erzkonservativen und bequemen Amtsinhabern niemand an der Notwendigkeit fundamentaler Reformen, aber Tempo und Vorgehensweise werden heftig diskutiert: Gorbatschow habe den Faktor »Zeit« und das Verhalten der so unterschiedlichen Volksgruppen, gerade unter den Bedingungen der sich verschlechternden Versorgung, nicht richtig eingeschätzt. Jelzin und seine Mitstreiter fordern eine Beschleunigung und eher noch radikalere Eingriffe. Ligatschow mit einer beachtlich starken Gruppierung bis hinein ins Politbüro weist auf negative Folgen voreiliger Änderungen hin, und das nicht nur auf dem Gebiet der Landwirtschaft. Überhastete Maßnahmen wirft man Gorbatschow auch im Ausland vor, von wo aus es sich ohnehin trefflich leicht kritisieren läßt.

Natürlich ist Gorbatschow ungeduldig; er drängt, fordert ein und kritisiert unentwegt Trägheit und Schlamperei. Er weiß, daß es nach ihm keinen Baumeister gibt, der sein Werk vollenden könnte. Und angesichts der Massierung der von ihm angeprangerten Mißstände und der steten Sorge, zu spät zu kommen, ist eine abgewogene, »moderate« Vorgehensweise vielleicht nicht einmal zu erwarten.

Überdies löst das »neue Denken« neben den gewünschten auch nicht einkalkulierte oder sogar nicht mehr kontrollierbare Reaktionen aus – wie Streiks und Unruhen –, die der Regierung dann ihren je eigenen Rhythmus aufzwingen.

In der UdSSR stehen schwierige innenpolitische Probleme an. Der Vielvölkerstaat benötigt eine auf föderaler Grundlage basierende Verfassung und damit ein andersartiges Staatsverständnis. Es gilt, eine neue Identität zu finden. Dazu gehören auch die Mitwirkungsrechte der einzelnen Organe wie des Volkskongresses der Deputierten und des neu besetzten Obersten Sowjet. Wie und wo wird sich in diesem Kräftefeld das bisher so einflußreiche Zentralkomitee wiederfinden? Geradezu titanische Aufgaben, die Gorbatschow mit großem Risiko für sich selbst angeht.

Anders als Millionen seiner indolenten Parteigenossen spürt er die tektonischen Vibrationen, die die neue Ordnung dieser Welt im kommenden Jahrtausend ankündigen. Er weiß um die Gefahren, die der Vormacht Sowjetunion drohen, und kennt zugleich die Chancen, die sich seinem Riesenreich mit seinen grenzenlosen Ressourcen öffnen. Realitätssinn und Visionsvermögen führen ihm das Bild einer Sowjetunion vor Augen, die um ihren Platz in dem ständig wachsenden Kräftedreieck USA, Europa und Pazifisches Becken kämpfen muß. Vielleicht träumt er von einem »Sowjetischen Jahrhundert«. Aber er weiß, daß der Traum nur Wirklichkeit werden kann, wenn sein Land den Wettbewerb mit den neuen Wirtschaftsriesen im Westen und Osten, mit Westeuropa und dem Pazifischen Becken, bestehen kann.

Ich plädiere dafür, daß man ihm dabei helfen sollte. Für alle kann nur Nutzen daraus erwachsen: Nutzen für die Völker der Sowjetunion; Nutzen für die Völker Asiens; Nutzen für uns Europäer und für unsere amerikanischen Freunde. Das Gleichgewicht des Schreckens soll abgelöst werden von einem Gleichgewicht der wirtschaftlichen Chancen. Wenn, wie Gorbatschow verspricht, sein Volk auf dem Wege dahin seine Freiheit und seine Menschenwürde wiederfindet, so gibt es für die freie Welt keinen Grund mehr, ihm nicht unter die Arme zu greifen.

Wir alle haben keinen Anlaß zur Selbstzufriedenheit. Naturkatastrophen, Völkerhaß, religiöser Fanatismus, aber auch weltweite ökologische Probleme und schließlich Seuchen wie AIDS oder die weltweit zunehmende Katastrophe »Droge« werden künftig unsere ganze Kraft und Aufmerksamkeit erfordern. »Jede Generation besitzt gleiche Nähe und Ferne zu Gott« – so etwa formulierte es Leopold von Ranke. Wir sind weder klüger noch gerechter, noch moralischer als unsere Vorfahren. Aber wir haben in diesem Jahrhundert mehr an Unglück und Zerstörung erfahren als alle vorhergehenden Generationen. Das gibt uns Anlaß zu der Hoffnung, daß aus dem Schrecklichen die Einsicht wachsen möge, den Frieden auf Erden unumkehrbar zu machen.